MAZARINE PINGEOT

Normalienne, agrégée de philosophie, chroniqueuse littéraire sur Paris Première, Mazarine Pingeot a déjà publié quatre romans dont *Premier roman* (Julliard, 1998), *Zeyn ou la reconquête* (Julliard, 2000) et *Ils m'ont dit qui j'étais* (Julliard, 2003).
Bouche cousue a paru aux Éditions Julliard en 2005.
Elle prépare actuellement une thèse de philosophie.

D05532819

BOUCHE COUSUE

DU MÊME AUTEUR

CHEZ POCKET

PREMIER ROMAN

MAZARINE PINGEOT

BOUCHE COUSUE

JULLIARD

© Éditions Julliard, Paris, 2005
ISBN 2-266-15728-0

À mes parents

Si je suis sortie aujourd'hui du silence, c'est qu'il a paru certains livres, dus à des amis de mon père, qui donnent un tableau faux des relations de mes parents entre eux, et, de ma mère, un portrait déformé par la partialité. Dans ces livres, les faits relatés sont en général exacts, mais, pour reprendre une expression de notre Nicolas Gogol, il n'y a rien de pire qu'une vérité qui ne soit pas vraie.

Tatiana Tolstoï

Il y a vérité et vérité. Le monde a beau être plein de gens qui se figurent vous avoir évalué au plus juste, vous ou votre voisin, ce qu'on ne sait pas est un puits sans fond. Et la vérité sur nous, une affaire sans fin.

Philip Roth

Tous les enfants légitimes peuvent jouir de la Terre sans payer. Pas toi, pas moi.

Jean-Paul Sartre

Mercredi 8 janvier 2003. Paris

Jarnac, je n'en connais que la pluie. Les huit janvier, il ne fait pas beau en Charente. L'anniversaire de la mort de papa. Désormais les années commencent ainsi.

Pour la première fois depuis sept ans, je ne suis pas allée à Jarnac avec les Autres me recueillir sur la tombe de mon père.
Pour la première fois, je désire un enfant.
Faut-il s'éloigner d'une tombe pour faire un enfant ?

Un enfant pour de vrai. Pas ce caprice d'une plénitude abstraite, pas ce besoin de retenir un homme, pas cet attendrissement devant des chaussons de laine. Enfin je crois.
Je vais me faire espace, air et place pour l'accueillir. Mais, avant, il faut dévider par des mots les nœuds de la mémoire. Mon corps est un musée d'archives obstrué par le silence.

De mon père, beaucoup d'images qui appartiennent à tout le monde. Mes souvenirs n'ont personne à qui se dire, personne qui pourrait les partager. Mes souvenirs n'appartiennent pas plus à mon père, c'est moi qui les garde, moi toute seule, moi qui n'ai pas de mémoire, et qui les laisse s'évanouir parce qu'on ne peut rien contre l'amnésie.

Mais tu vas arriver. Un jour. Et devant toi, l'enfant, je serai responsable de ces trous de mémoire.

Un jour, tu ouvriras des livres qui parlent de lui. Avant que tu ne découvres ce qu'on a fait de cet homme, mon père à moi, je dois réveiller ma mémoire, et te protéger de notre histoire en clarifiant la mienne.

Contre ces livres sur lui, je tiens ce journal. Je fais ce livre pour toi, l'enfant, pour que tu échappes aux mots qui ont tissé ma muselière. Il y a des gens, que nous ne connaissons pas, et qui vivent de notre mémoire, le sais-tu ? Ils s'enrichissent en nous pillant, et saccagent mes souvenirs. Je dois maintenant les reconstituer pour t'offrir un passé différent des livres d'histoire et des piles de journaux. Là tu ne trouveras pas celui sur lequel, un jour, tu m'interrogeras. Car tu seras curieux, c'est certain, et je devrai me faire violence pour accepter cette curiosité que je n'ai pas, que je refuse d'avoir.

Pendant cinquante-huit ans, il n'était pas mon père. Tu trouveras ces cinquante-huit ans autre part. Tu comprendras qu'ils ne m'appartiennent pas. Qu'ils me font concurrence.

Il ne m'a pas tout raconté. Mais il ne faut pas croire ce que disent les autres. Les autres parlent toujours d'eux.

Mon témoignage à moi est vivant. Et vivant restera ainsi ton grand-père.

Mon père est né pour moi le jour où il a rencontré ma mère.

Il est entré dans notre famille. Très symboliquement. Une famille de femmes. Nous l'attendions ma mère et moi, ma mère avant moi, qui ne voulait à mon visage que les traits de son choix. Et elle a choisi. Contre beaucoup de monde. Contre son monde à elle.

Au bout de neuf mois, il faut que le bébé sorte. On l'a tant attendu. On ne le cachera pas plus longtemps. On veut tout pour lui, qui n'appartienne pas aux autres. Lui offrir l'aventure de la clandestinité.

J'arrive un dix-huit décembre, en 1974, à vingt-deux heures, dans le 84. Bien sûr, j'aime les nombres pairs, la symétrie et les lignes parallèles. J'aurais pu détester.

Mes parents ont choisi Avignon parce que c'est une des plus belles villes de France. Ils ne voulaient pas que je naisse à Paris, ni en Auvergne, ni dans le Morvan, ni dans le Poitou, ni en Dordogne, ni dans les Landes, ni dans le Nord, en France quand même. Ou quelque part. Là où les frontières sont levées, mais pas libres de droits de douane. Entre l'exception et la honte, le secret par obligation et le secret par amour. Consacrée par un lieu symbolique, cachée par un lieu lointain.

Dans la clinique Urbain-V, maman oublie de respirer. Sa sœur lui rappelle que ça reste le meilleur moyen de vivre et de faire vivre l'enfant. J'arrive pourtant, couleur violette. Cyanosée. Maman veut contrôler mon souffle, à la place, elle me tue. C'est toujours comme ça avec les mères. Ça part d'une bonne intention.

Papa tarde à venir. Maman pense que je ne l'intéresse pas. Chaque fois qu'ils se sont promenés au Luxembourg, papa a fait mine de donner des coups de pied aux fesses des gamins. Il a pourtant accepté que la femme aimée, à trente ans, tombe enceinte. Il aurait pu la retenir sans ça. Justement, il l'aimait.
La seule condition : que ce soit une fille.
En général, il préférait les femmes.

Quand il m'a rencontrée, ma tête tenait dans sa main. Et puis quelque chose s'est passé. Il est devenu père.

1984. Acte de ma reconnaissance, auprès d'un notaire. Mis à jour à l'état civil d'Avignon après la mort du père, mention au stylo bleu sur le livret de famille. Le père en bleu. Le père comme mention. Une mise à jour. Le père manuscrit, déjà ces lettres vivantes qui écrasent la typographie administrative, mais la typographie, ça fait vrai. Des taches d'encre, ce n'est pas sérieux, une plaisanterie peut-être, et puis, à l'effaceur, on pourrait faire comme si les lignes n'avaient pas été rajoutées. Un erratum. Des ratures, comme lorsqu'il corrigeait un manuscrit, tapé par ma mère : des lignes et des coupes à la main, tracées par son Waterman lourd et foncé. Bien sûr, c'était le meilleur du texte, ces corrections.

Petite correction sur livret de famille, qui me permettrait de le porter, ce nom.

Mais ce jour-là de 1974, il s'est débrouillé autrement. Sur ma fiche d'état civil, il y aura écrit Mazarine. Son invention. Sa signature, son nom de famille devient inutile.

Mon deuxième prénom est Marie. C'est celui de la Vierge et de la clandestinité.

15

Quand je nais, la maison de Saulzet est la résidence d'été de Mamé, l'arrière-grand-mère. On veut faire croire dans cette famille que nous n'avons jamais eu d'argent. Mais on supporte mal de ne plus en avoir. Mamé a été belle, elle reste dure. Officiellement, pendant deux mois maman garde un bébé pour se faire de l'argent de poche. Personne ne dit à la vieille dame qu'il s'agit de moi. Mon arrière-grand-mère m'a connue, sans savoir que je partageais le même sang. Question de bienséance.

Plus tard, quand papa viendra passer quelques jours à Saulzet pour voir maman, il partagera avec elle la chambre de « grand-mère » tapissée de vert, à la moquette profonde et rouge. Lorsqu'il sera absent, maman récupérera sa chambre d'enfant. Le protocole aura été un peu bouleversé. Elle aurait dû dormir à la ferme, comme les filles mères. Mais ma mère est plutôt de celles que l'on craint et l'on respecte papa, ce qui ne veut pas dire qu'on l'aime. Depuis qu'il a séduit l'une des deux filles aînées. Avant, il plaisait à toute la famille, sur la terrasse d'Hossegor, après une partie de golf. Peut-être même que ma grand-mère, l'avait remarqué avant sa fille.

Il jouait avec mon grand-père dans un tournoi baptisé l'« Attila cup ». Là où les golfeurs passent, l'herbe ne repousse pas. Le trophée du perdant, un chien qui pisse en porcelaine, est rangé dans une armoire à Hossegor.

Quand Mamé meurt, je deviens la fille de ma mère, mais on continue de baisser la voix en prononçant mon nom.

À la table du déjeuner, dans la grande salle à manger voûtée, où l'on sort les couverts en argent, les discussions entre papa et Mamie sont tendues. Il lui lance des piques mais ne laisse personne dire du mal d'elle. Il fait froid dans cette salle obscure, au dallage en damier noir et blanc. Les repas y sont plus longs qu'à la cuisine. Nous avons des fourmis dans les jambes. La présence de papa intimide. Ça me rend insolente. Je ne comprends pas pourquoi la complicité avec mes cousins n'est plus la même. Ils font comme leurs parents. Vers le dessert pourtant, ils passent de l'autre côté. Papa sonne l'heure du *train*. Il se lève et fait *tchoutchou*. Tous les wagons s'accrochent à lui, qui court et recule autour de la table, nous faisant tomber. Au troisième tour, tous les wagons se détachent pour aller se cacher sous la table. Nous sommes persuadés qu'il n'a rien vu. Quand il fait mine de s'en apercevoir, nos cœurs battent. Nous arrêtons de respirer, mais la chienne nous trahit toujours. Sa queue dépasse. Papa nous découvre, nous partons dans toutes les directions en criant.

Maman et papa nous préparent parfois des jeux de piste dans la garenne qui n'existe plus. Pour tuer l'attente, nous moulons et démoulons des gâteaux, mélangeons les myrtilles ramassées la veille, avec le sucre, dans les chaudrons en cuivre, léchons les casseroles, mangeons la pâte crue. Après le repas, ma cousine et moi remontons l'allée de la charmille et entrons dans le petit bois où se cachent les trésors – rébus sous une pierre moussue, paquets dans un tronc d'arbre. Papa et maman nous suivent, se tenant par le bras.

Et puis nous avons grandi.

J'ai six ans lorsqu'il accède au pouvoir.

Il y a des souvenirs, l'enfant, qui ne peuvent s'écrire qu'à la troisième personne. Parfois, Marie est plus facile.

Marie donc a commencé à regarder la télévision à six ans. Elle a su dès le début que quelque chose n'était pas normal, le monde, à l'intérieur de l'écran, provoquait des réactions bizarres, contradictoires, et il y avait cet homme, qu'elle connaissait si bien, oui, c'est sûr, et qu'elle ne connaissait pas. Cet homme que très vite elle apprendrait à ne pas nommer. C'est de là que lui vient son prénom, l'autre. Se nommer c'est le nommer, il y a des noms comme ça, mystérieusement liés, et qu'on ne prononce pas. Même si ce sont les plus chers. Même s'ils doivent vous définir. Alors on en change. Au début c'est un jeu, ensuite une habitude, ça peut même devenir une maladie.

Marie, assise sur les genoux de sa mère, dans son fauteuil marron années soixante-dix, se lève pour ouvrir à ses oncles et tantes. Ils viennent la chercher. En bas, c'est la fête, les voitures klaxonnent et les gens crient. Son oncle, il s'appelle François lui aussi, cela elle peut le dire, a le visage heureux. Il apporte du champagne. Sa mère ne parle pas. Refuse que la petite sorte, demain il y a école. Marie est déçue, elle ne comprend pas pourquoi elle est interdite de fête, d'autant que ça a l'air de la concerner. Il s'agit de cet homme, n'est-ce pas, dont on a vu le visage tout à l'heure apparaître à la télévision. Un clone de celui qu'elle connaît. Elle ne s'y trompe pas, ce n'est pas vraiment lui. Les autres vont le rejoindre ; plus tard, peut-être, c'est lui qui les rejoindra, sous les toits, dans leur deux-pièces où elle s'endort au son de sa voix. Les oncles et tantes partent. Sa mère l'installe à nouveau sur ses genoux pour regarder ce qui se passe, sur Antenne deux. Sur Antenne deux, on voit la rue, des gens par milliers qui pleurent, peut-être son oncle et sa tante. Et bientôt on le voit lui. Alors sa maman pleure elle aussi, elle pleure en silence. Mais ce ne sont pas les mêmes larmes. Cela, Marie le comprend. Pourquoi sa maman pleure tandis que les autres sont heureux, l'homme à la télévision a remporté une victoire, il l'a appelée en fin d'après-midi pour la tenir au courant. Cet homme, sa maman l'aime, et Marie aussi, s'il s'agit bien du même. Elles sont là, toutes les deux, seules devant un poste minuscule, ne font pas partie de la fête, la nuit va se refermer sur un avenir incertain.

C'était le 10 mai 1981.

Mazarine laisse Marie dans le fauteuil marron, là où les murmures de la foule n'entrent jamais, et continuera de jouer du dédoublement.

Marie et Mazarine ne sont pas ennemies, elles se côtoient seulement, hésitent à se rencontrer. L'une héritera de l'image de cet homme, à la télévision, l'autre reste la fille de celui qui venait l'endormir, et d'une mère qui jamais n'a franchi la frontière, intègre jusqu'à refuser qu'on la prenne en photo même à Noël, même à son anniversaire, parce que l'image est une dangereuse menteuse.

Ma mère a renoncé, par amour. Ni les autres ni la vie sociale n'ont d'attrait pour elle. Elle s'en est convaincue. Elle est l'héroïne d'un film que personne ne verra jamais.

Elle garde son secret comme un gage de fidélité. Les enquêteurs professionnels peuvent continuer d'imaginer, elle est protégée. Tant qu'elle ne parle pas, personne ne saura rien.

À sa meilleure amie, elle a appris mon existence lorsque j'avais quatre ans.

Elle a construit son identité sur ce renoncement. Pour elle se montrer serait plus qu'une contradiction : un reniement de son existence. Et ma mère n'est pas de ces femmes qui se trahissent pour se faire bien voir. Ça existe.

Je suis l'enfant du renoncement, le choix contre le monde. L'enfant du courage et de l'amour de ma mère. Dois-je rester fidèle au sacrifice ?

Contrainte de me taire, de ne pas exister aux yeux des autres, de n'avoir pas de nom, de n'avoir pas de père, et pas même de père imaginaire puisque le vrai existe bel et bien. Je le protège en taisant son identité, il ne m'a rien demandé, mais c'est ce que j'ai compris.

Un jour, quand il ne sera plus là, je deviendrai héritière de son droit moral. Héritière en titre de l'honneur d'un homme, prête-nom habile, celle par qui il pouvait offrir *post mortem* la reconnaissance et la fidélité à ma mère, *responsable* de mon existence, porteuse de sa postérité, miroir de sa vérité, à tous autres cachée.

Pour l'heure, officiellement je n'avais pas de père, mes camarades de classe ne savaient rien de mon chez-moi, de mes soirs, de mes week-ends, de mes vacances. Ou s'ils le savaient, ils n'en disaient rien. Le pacte de silence n'était pas qu'une affaire de famille. Apparemment, tout le monde l'avait contracté. Il y a des maladies comme ça, dont personne n'ose dire le nom. Parce que le secret peut prendre des formes tellement exaltantes avec juste quelques ingrédients, une équation aux résultats multiples : un père célèbre, mais inconnu. Imaginez, ça pourrait bien être Johnny ou le pape, au moins quelqu'un qu'on connaît, sinon pourquoi le cacherait-elle, non il y a un mystère, et un mystère dangereux. Trouver l'inconnu, sans le lui demander, elle, c'est la pièce morte, à la limite le joker, celle dont on parle derrière le dos. Mais j'ai un dos très attentif. C'est même la partie de mon corps qui entend le mieux. Parce que, pour le reste, c'est serrures, cadenas, verrouillage.

Remarque, j'aimais bien barrer la mention profession du père à défaut de m'en faire une gloire. Orpheline, c'est chic et émouvant.

Je savais déjà que je ne serais jamais de celles que l'on plaint, alors un peu, juste pour jouer.

Les copines appartenaient à un monde qui me condamnait au rôle de Janus, pile et face, face petite fille rires et pleurs, pile animal silencieux qui connaît le langage des signes, antennes qui décryptent, système perfectionné de réception aux ultrasons et chuchotements, entre les deux, mur, barrière, poubelle, je jette les regards curieux, les questions douteuses, les petites infidélités, je jette ce qui dépasse, ce qui met en danger, ce qui ne convient pas aux relations de camaraderie, ce qui sort du cadre Barbie et Nutella. Poubelle aussi les souvenirs du dimanche, les dîners à la maison, les vacances de Noël, quand je joue à chat bisous dans la cour de l'école.

J'aime gagner, mais des bisous, ça veut dire flirt, invitation à la maison, échange d'histoires, intimité. Danger. Donc pas de bisous. Donc je perds. Donc je n'intéresse pas les garçons, et pas les filles non plus. Donc je suis seule. Dans la poubelle.

Je suis une poubelle à secrets.

Que deviennent les choses quand on les garde pour soi ? Peuvent-elles continuer de vivre ?

Les faits se sont abolis à n'être pas dits, la chair du monde s'est réduite à un vague parfum. Je suis une porte fermée, sans rien derrière, pas même une cellule, seulement du vent. Je n'ose pas l'ouvrir, la garder cadenassée fait encore illusion.

Je pourrais très bien faire que mon enfance n'ait jamais eu lieu. Qui le saura. Ou m'inventer une histoire. J'ai le pouvoir de vie ou de mort sur mon passé, de mort plus que de vie. Il ne tient qu'à moi de me cacher encore ce destin qu'enfant j'avais cru mien, il ne tient qu'à moi de tricher. Et pourtant, non. Le mensonge me met mal à l'aise, c'est comme vouloir quitter sa province natale, triste et étouffante, pour la capitale, parce que rien ne nous convient, rien ne nous ressemble, le mensonge c'est ma bulle, ma prison, je me suis toujours arrangée pour ne jamais mentir, j'étais déjà moi-même un joli petit mensonge qui courait dans la cour de l'école.

Mais ça, c'était mon statut social. Qui s'identifie à un statut social ? Je n'ai jamais menti, et ça m'a demandé pas mal d'énergie, avec toute cette vérité que je ne devais pas dire. Il y a des manières de ne pas être clair. Il y a des manières de toujours se taire. Même en parlant. Il y a des manières de ne pas souffrir.

Ce sont mes stratégies, mes stratégies d'enfance, ne pas mentir, ne pas souffrir. Et quand vraiment on ne peut pas, on croise les doigts derrière le dos. Ça annule tout.

Je pourrais aussi t'inventer un conte, pour t'offrir des sommeils apaisés, mais une vigilance me tient. Je ne veux pas tricher, déjà, et te faire croire, comme je l'ai cru, que la vie aurait la même cohérence que les romans. Je ne peux pas écrire un roman, pas là-dessus, tu t'en chargeras bien, des romans familiaux, des parents que l'on s'invente, des origines fabuleuses. La fable est là, c'est même notre vérité, tu seras contraint d'imaginer autre chose, autre chose qu'une fable, je suis désolée que le chemin, déjà, soit si accidenté.

Échanger mes veilles contre tes nuits. Ma lutte contre l'évanouissement d'une enfance passée auprès de mon père, d'une mémoire de nos vies partagées, croisées vingt et un ans, la responsabilité du passé, qui ne survivra que par le souvenir, la responsabilité des morts, et ce travail incessant pour protéger une tombe de l'érosion du temps.

J'ai dix ans. Les enfants jouent dans la cour de l'immeuble. Ils s'amusent. Je les regarde derrière la vitre. Ils ont l'air stupide. C'est toujours comme ça quand on n'imagine pas que quelqu'un vous observe par la fenêtre. Moi, par exemple, je fais toujours attention aux fenêtres.

Je ne les rejoindrai pas. Pas envie d'être comme eux. De croire au jeu. D'être un enfant.

S'ils me demandent... mais ils ne me demandent pas. Ils ne savent même pas que j'existe. Ou ils s'en fichent. Ils ont assez d'amis comme ça. Je ferme les rideaux. Mes poupées m'attendent. Il faut les habiller, leur parler, elles se battent, je les laisse faire, il y en a bien une que je vais aider à gagner. Peut-être pas ma préférée. J'aime bien les victimes. Je n'entends plus les bruits de la cour.

J'ai conscience que je ne suis pas tout à fait heureuse. Mais je suis rassurée.

Je sais vaguement que tout cela est un monde parallèle, comme une chambre d'hôpital.

J'ai toujours aimé l'ambiance verte médicamenteuse, cette bulle où la vie et la mort ne sont pas éloignées, leur union protégée.

Je voudrais bien être malade, parfois. Mais j'évite,

comme j'évite d'être tendre, de pleurer, d'éprouver de la peine, de me plaindre, d'avoir peur. J'ai de la volonté, j'arrête de sucer mon pouce toute seule en traçant des croix sur les jours de tentation, on s'émerveille, cette enfant a du caractère.

Ni papa ni maman n'apprécient beaucoup la faiblesse.

L'autre monde, enfin le vrai, celui qui existe dans la rue, les gares, les aéroports, les boutiques, l'école, les soirées, les bureaux, mon père y avait sans doute passé le plus clair de son existence. Je me le croyais défendu. Pas assez beau pour moi, pas assez belle pour lui. Pas pour moi pas pour lui. Nous ne sommes pas faits pour nous entendre. N'avons pas été programmés pour ça. C'est dommage, parce que c'est quand même le monde. Et en dehors, en dehors, il y a... nous. Ça forme un monde ça, trois personnes ? Papa me protège, papa veut pour moi le meilleur, papa ne me présente que ses plus chers amis, papa voudrait que je sois heureuse, papa décide même de rencontrer les parents de mes amies pour me montrer qu'il est content que j'aie des amies, pour rendre possible qu'elles viennent à leur tour chez moi, ces amies. Papa croit que l'amour, même silencieux, est plus fort que le monde. Pour moi. Mais papa devine, aussi. Et moi, je protège mon père.

Dans le pacte, il était écrit : tu garderas jalousement l'exception que l'on a vécue. Petit témoin deviendra grand. Et l'exception lointaine. Ma mémoire se vide si les mots ne font pas barrage. Avant, il n'y avait pas de mots. Je dois les réinventer pour que la réalité ne meure pas tout à fait. Alors je remplis de lettres mon grand réservoir asséché. À force, il y aura des phrases, et peut-être, à la fin, du sens.

Et tu commenceras à parler. Je t'écouterai avec adoration raconter tes journées, et te ferai répéter les détails, nous consacrerons ensemble l'anodin, nous éloignerons la menace des mots, j'en imaginerai de nouveaux si les anciens ne te conviennent pas, ta réalité pourra se tisser de phrases et tu apprendras des silences qui ne seront que des espaces.

Dimanche 12 janvier. Paris

Je voudrais tout te dire mais ne me souviens pas. Amnésique, il me semble que je le suis, que je l'ai toujours été. Je n'ai pas de souvenirs marquants de discussions passionnées, de moments intenses ou symboliques. Toutes ces heures importantes que d'autres se rappellent mieux que moi et qui définissent aussi mon père. Je n'ai que le paysage d'une enfance, des impressions d'odeurs, d'inflexions de voix, de promenades, de rires, de vacances et d'un quotidien banal comme tous les quotidiens. C'est pourtant à l'intérieur de cette brume que mon père se révèle tel que lui-même, et que je retrouve notre relation profonde, les jalons de mon être à venir.

En 1988, j'ai quatorze ans. J'enrage devant les militants de droite d'être dans l'obligation de le défendre, sans pouvoir dire pourquoi, ne voulant pas le dire de toute façon, essayant de trouver le mot qui les remettra à leur place, n'y arrivant pas, ne connaissant pas son programme pour la France, m'en fichant, le protégeant. Une fille contrainte de défendre son père. Le monde en forme de tribunal, l'avocat a oublié son code civil, est mauvais orateur alors qu'il y va de sa vie. Des enfants de mon âge le traitent de con, de salaud. Ils ne savent pas que c'est de mon père qu'ils parlent, évidemment. S'ils le savaient ça serait peut-être pire. J'entends, j'encaisse, je ne veux pas que ça arrive trop loin, là où le cœur est déjà blessé, fichu, je coupe le membre gangrené pour qu'il n'entraîne pas la mort. Ça glisse, je les méprise, ça heurte, je ne m'entends plus, hors du corps, je n'existe plus, je ne le trahirai pas, prends sur moi, tout sur moi, pour qu'aucun postillon ne l'atteigne quand je serai rentrée de l'école. Je suis salie, il restera propre, je l'aime trop, j'ai trop de peine. Je suis morte. Pour lui. Il ne me l'a pas demandé. Mais c'est trop fatigant de porter, sans que personne ne le sache, il faut bien un peu d'indifférence à force, sinon on s'épuise. Je suis devenue indifférente, monstre froid, insensible. Ça vibre encore quand je les entends l'attaquer, les enfants devenus grands, mais, impuissante, je n'ai qu'à me taire, encore. Une fille qui défend son père...

Ce n'est pourtant pas un criminel.

J'éprouvais une infinie pitié pour les enfants dont les parents enseignent dans le même lycée.

Ils aiment papa, maman, à la maison fantastiques. Mais à l'école. Sur la porte des toilettes : Madame T, grosse pute, espèce de. Monsieur Z, tu pues de la gueule. Alors le soir, les enfants, silencieux, observent leurs parents, qu'ils aiment toujours autant, mais la tristesse s'en mêle. Ils ont honte. Ils n'ont rien fait. Mais sont témoins, c'est trop tard. Ils n'en diront rien, il faut les protéger, ces parents grands devenus petits en toute injustice. Dans ces toilettes, je me suis juré de ne jamais devenir professeur.

Si je suivais activement la campagne de papa, placardant des autocollants et des affiches, me faisant insulter par des militants de droite, j'évitais de le regarder à la télévision – cette angoisse obsessionnelle qu'il bute sur un mot.

Dans cette attente de la faute de français en direct, il y avait toute la responsabilité dont je m'étais chargée, la responsabilité de sa perfection, de sa joie, de sa tristesse, de sa victoire. J'ai peur qu'il n'écorche une syllabe, qu'on ne l'aime pas, qu'on ne se rende pas compte de ce qu'il est, en vrai, derrière son costume et son masque. Si je ne prends pas soin de lui, qu'adviendra-t-il ? Il n'y a que moi qui sache la vérité, et je dois la tenir sans la dire. D'autres l'écoutaient sans doute, moi, j'étais accrochée à ses lèvres, ses expressions, guettais l'infléchissement de la bouche qui me dirait qu'il souffre, qu'il a peur, qu'il doute. Il ne le sait pas, mais je suis son grigri silencieux. Mon visage bouge à sa place, je prends sur moi les erreurs qu'il pourrait faire, concentre toute la mauvaise énergie que la situation peut lui insuffler. Je l'aide.

Mais cela me prenait trop de force... Alors, lâche, je me réfugiais dans ma chambre. Je lui inventais une fragilité qu'il n'avait pas, peut-être entendais-je déjà les quolibets du lendemain, les petites méchancetés des camarades d'école, que je devrais neutraliser, de peur qu'ils n'arrivent par une voie ou une autre jusqu'à lui, de peur qu'ils ne me fassent mal à moi. J'avais peur d'avoir mal, mais je savais que j'aurais mal. Pourquoi était-il obligé de se montrer, ignorait-il tout le travail que je devais faire, par-derrière ? Songeait-il à mes lendemains d'école, mes efforts sans cesse renouvelés, parce que, dès que je parvenais à mettre l'insulte à distance, on le voyait le soir même à la télé, et que tout était à refaire. Recoudre vainement les fils qui cassent, faire de jolis travaux, à la couture invisible, et lui, qui les défaisait sans cesse, et moi, de reprendre l'aiguille.

Et tout ce temps, à réparer, qui m'a caché les moments d'exaltation, le bonheur des victoires, la stimulation du combat.

Certes, j'étais à la maison d'Amérique latine le soir de son élection, et je l'ai embrassé discrètement, mais, en pull et jean, je le voyais heureux de me serrer dans ses bras sans être tout à fait à ma place. Il y avait d'autres jeunes filles dont les pères étaient présents, pour qui cela semblait si naturel, elles s'étaient habillées, elles étaient fières, de la réussite commune, de se montrer, d'être là à un moment qu'elles devinaient important. Je marchais vite, parmi les groupes, les yeux baissés et les joues enflammées. J'aurais aimé être fière moi-même, j'aurais aimé être quelqu'un d'autre pour qu'on me voie, qu'on me dise bravo, que je dise bravo, faire partie de la fête, faire partie de la victoire, faire partie du groupe. J'aurais aimé à cet instant précis que l'on sache que j'étais sa fille, depuis toujours, sans que ce soit un scandale, juste une évidence, et qu'on me regarde avec amitié, qu'on m'envie un peu, partager avec lui, avec eux, ce jour-là. J'aurais voulu rester à ses côtés, prendre plaisir à être présentée au lieu de rougir, avoir envie de rester au lieu de brûler de repartir, parce que décidément, non, on me regardait avec curiosité plutôt qu'avec plaisir, je n'étais pas chez moi, je n'étais pas des leurs, je n'étais plus au centre de la vie de mon père, il pensait que ça m'amuserait, de voir tout ça. Et c'était bien cela, voir le spectacle, ne pas le jouer. C'est la victoire de mon père, et je passe, clandestine, le féliciter comme les autres, clins d'œil, lumière dans son regard, joie de rassembler les deux mondes, cette petite pirouette, comme la cerise sur le gâteau, la touche qui change le plaisir en bonheur.

C'est mon premier bal. Mais trop tard. Si tard que la robe prévue est déjà usée. L'âge de se moquer des jeunes filles en fleur qui vont l'éprouver, leur émoi. Le mien est passé, avant de l'éprouver. Une reclassée des premières, une adepte du cynisme par obligation. Une promise princesse, dont une foulure à la cheville a brisé la carrière. Je sais bien que les petites gloires sont précaires mais, puisqu'elles sont petites, pourquoi pas un peu, juste un peu. La vanité ne devrait pas être interdite quand elle est une gourmandise. Quatorze ans, c'est l'âge limite où la coquetterie n'est pas encore ridicule.

Je sens les yeux se tourner vers moi, les chuchotements, mais personne ne me parle, sauf les rares que je connais, fiers de savoir qui je suis en vrai, un petit signe de main, on baisse la voix, on se voit mercredi à déjeuner, je m'éclipse. Maman doit être à la maison, toute seule. Je n'ai pas envie de rentrer, pas encore, je descends dans la rue et, tout de suite, je me sens mieux. Mes cousins, oncles et tantes m'accompagnent, anonymes parmi la foule de gauche, nous chantons, nous crions, achetons des roses, le premier journal qui titre la victoire de François Mitterrand. J'ai retrouvé ma place : sous mon pull, je porte le tee-shirt de la campagne, « génération Mitterrand ».

Je fêtais à la Bastille la victoire d'un homme qui n'était pas mon père, et qui continuerait d'être autre chose, la victoire de François Mitterrand, nom qui n'était pas le mien et que j'entendais prononcer par d'autres, comme s'il leur appartenait. Et j'étais heureuse qu'il leur appartienne.

La victoire signifiait pour moi des blessures rouvertes, les articles assassins, les quolibets, et sept ans de silence à reconduire. C'était la tristesse de mon père, certains soirs en rentrant du travail, ses absences, sa double vie. C'était aussi des week-ends à la campagne et des voyages en avion. Comment dire sans impudence que je rêvais des files d'attente et des vols annulés, des cafés et des journaux au relais H de la gare, des hôtels d'autoroute et des terrasses de café, ensemble. Je ne peux pas le dire, alors je me tais.

Un parasol, des serviettes et des seaux, une maman qui ouvre les sandwiches, un papa qui aide à faire le château de sable.

Au cirque, les éléphants dansent et le clown demande au papa de mettre son nez rouge sous le regard horrifié et amusé de l'enfant.

Au cinéma, on passe *Bambi*, le papa emmène la petite fille voir le film pour la troisième fois.

On fait les courses de Noël, elle demande à son papa de lui acheter l'ours en peluche.

À la veille des vacances, les enfants ont préparé un spectacle pour les parents. Ils applaudissent tous, même si le spectacle est nul. Avec son enfant, un spectacle ne peut jamais être nul.

Au bureau de papa et maman, on fête Noël, il y a des cadeaux pour tous les enfants, offerts par le comité d'entreprise.

Ce ne sont pas mes souvenirs.

Mais, après le Conseil des ministres, un papa et ses amis se retrouvent pour déjeuner dans un restaurant parisien. Il attend sa fille toujours en retard, qui sort de ses cours, et pédale entre les voitures en réfléchissant aux plats qu'elle va commander. C'est le mercredi.

Il y a Michel Charasse, ou Robert Badinter, ou Charles Salzmann, ou André Rousselet. La maman arrive elle aussi sur son vélo, mais ne réfléchit pas au plat qu'elle va manger. Elle regarde sa montre pour ne pas être en retard au travail, à quatorze heures trente, tandis que les autres commanderont les desserts. Elle n'aime pas les desserts ni les restaurants, mais c'est toujours du temps partagé avec papa.

Ce sont mes souvenirs.

Quand tu ne seras plus président, papa, nous partirons en voyage, un mois, deux mois, nous irons au Vietnam, puis en Inde, nous louerons une voiture, je la conduirai, et nous nous arrêterons dans les temples, les églises, les mosquées, et les restaurants. On s'amusera à cette chose nouvelle, bizarre, un père, une fille, en voyage, sans lunettes noires ni gardes du corps, sans Conseil des ministres qui vous oblige à rentrer, sans photographe peut-être, des vacances en quelque sorte. Nous louerons une maison au bord de la mer, en Irlande, ou au Portugal, pour écrire, discuter aussi, comme les parents et les enfants n'ont jamais le temps de le faire.

Sur notre île, en Irlande, ça aurait été différent, n'est-ce pas ?

J'ai ainsi connu les arrivées dans les salles bondées, les salutations parfois excessives des patrons ou garçons devant mon père, le mépris dédaigneux ou l'indifférence devant moi tant qu'ils n'avaient pas vu que j'étais avec lui ; j'ai entendu les chuchotements sur son passage, les réflexions désagréables ou seulement surprises, les exclamations, l'admiration qu'en espionne je note intensément dans mon esprit. Ma peur aussi de rencontrer quelqu'un que je connais dans cette compagnie si compromettante qu'est celle de mon père. Ma honte lorsque j'arrive en avance de dire avec qui je déjeune, ma manière d'avaler mes mots quand je prononce son nom, comme j'avale le mien. L'habitude du regard des autres, officiel, officieux, de ceux qui savent, de ceux qui ne savent pas, de ceux qui apprennent par indiscrétion. Le plaisir de papa de me prendre la main au restaurant, de me chuchoter dans l'oreille. Ma fierté devant les coups d'œil jaloux et intrigués, ma petite revanche sur le mépris précédent tandis que j'entrais dans la salle en simple anonyme, mais aussi ma gêne, mon envie de me cacher. Cette ambiguïté de sentiments qui m'accompagne dans chaque acte public, l'impossibilité d'être en public. Et la conséquence de cette difficulté : le cloisonnement de nos vies ; la bulle du lycée, celle de la maison, celle des vacances, et l'enfance qui s'échappe dans les interstices.

J'ai été longtemps invisible. Et puis montrée du doigt.

Il faut que tu saches aussi, que j'ai eu dix-neuf ans de répit. Une enfance idéale, sauf qu'elle était cachée.

Et puis un jour, au restaurant Le Divellec. Personne ne voit les téléobjectifs planqués de l'autre côté de la place des Invalides. Et la vie va se couper en deux.

C'est un jeudi. Mon père m'appelle. Je ne vis plus chez mes parents. « Prépare-toi. » Dehors, le monde aura changé et les kiosques afficheront mon visage.

Mon intégrité est prise d'assaut. Le statut de fille de François Mitterrand me montre du doigt, bien qu'il ne s'affiche pas sur ma carte d'identité. Je n'ai pas besoin de nom, mon prénom et la ressemblance de mes traits me désignent.

Fille illégitime d'un homme politique. Ma (nouvelle) carte de visite. Née hors mariage et « cachée ». Honte de la République, affront à la morale. Et désespérément française. Poitou-Charente, Auvergne, Vaucluse. Pas même quelques gènes qui m'auraient fait passer du côté des victimes.

Pourtant j'ai le complexe des immigrés de première génération. Dois toujours en faire trop pour me faire oublier. Passer des concours anonymement pour ne pas être taxée de favoritisme. Pur produit de la République. Au sens propre. Me rebaptiser ici ou là pour passer inaperçue. Vivre simplement pour être à l'abri des commérages. Autant d'échecs dont je suis la seule fautive : je suis illégitime à mes propres yeux.

Je rougis quand on prononce mon nom, baisse les yeux quand j'entre dans un lieu public. Je voudrais bien m'excuser d'exister, mais ce sont des choses qui ne se font pas. Alors je reprends la bataille.

J'ai essayé de m'habiller de diplômes et de réussite ; ça ne compte pas. C'est même un peu louche. La faute tache. Il n'y a que ça qui reste.

Gagner le droit d'exister, d'aimer, d'avoir des enfants, de visiter la tombe de mon père dans le silence de mes émotions, pleurer et retenir mes larmes le jour de sa mort sans qu'on s'inquiète de ma tristesse, sans qu'on la remarque, sans qu'on me la vole. Critiquer les paparazzi pour le viol régulier qu'ils commettent à l'encontre de mon intimité sans soulever l'indignation des médias. Me protéger du regard des autres sans renoncer au plaisir d'écrire, de publier, de faire de la télévision. Boire un café à une terrasse en échappant aux insultes. Gourmandise, naïveté. Je n'étais pas faite pour la vie qui m'est échue, à dix-neuf ans. On n'est jamais trop vieille pour sortir de l'enfance. Se plaindre du destin est une inconséquence, sinon un caprice. J'ai aimé être une enfant capricieuse. Pour d'autres, c'est la guerre, la violence, qui brisent l'immatérialité de la jeunesse.
Illégitime jusque dans le droit de me plaindre.

Illégitime sauf pour le mépris. Je porte en moi les stigmates de toutes ses turpitudes, fais au moins l'unanimité sur ce point. Ça, c'est avant qu'on me connaisse. Après c'est différent. Souvent il n'y a pas d'après. Il faut me faire comprendre que la vie, ce n'est pas un salon doré de l'Élysée, des comptes en Suisse et des pistons en veux-tu en voilà. Après l'éducation civique, c'est le cours de morale. Il faut rééduquer les bâtardes. C'est bien vrai. Que les bâtards prennent toujours la place de quelqu'un d'autre. Même si ce n'est pas celle que l'on croit. Parce que l'Élysée est presque aussi loin que la Suisse, plus exotique peut-être. La Suisse, je l'ai traversée pour aller en Allemagne – voyage linguistique. J'ai déjeuné à Zurich, et ce n'était pas bon. L'Élysée, c'est encore autre chose, des portes qui se ferment, ombre furtive qui passe.

Si j'ai pensé pouvoir échapper à la publicité, c'est que j'ai cru au leurre de mon enfance. L'enfance est toujours un leurre. Elle m'a protégée du regard du monde. Le secret était devenu un mode de vie. Il a été violé, mon intégrité avec lui.

Petite, je vivais dehors. Dans un entre-deux. Une famille qui ne l'était pas pour ces autres, une identité ignorée, pas de statut social, pas de définition sociale. Un nom, un prénom, un univers familial aux valeurs d'une bourgeoisie réactionnaire, catholique et provinciale. Un silence. N'exister que par l'amour de ses parents. C'est immense et trop. Pas assez. Une cellule. Un microclimat, un monde à part. Alors les autres, ils sont arrivés tard. Et il était temps d'accepter leur verdict, même si l'affaire avant d'être jugée n'avait pas été entendue.

J'ai rencontré leur regard à vingt ans. Et depuis je dois faire avec. C'est fatigant.

Aujourd'hui on vient me voir pour me parler de lui, me dire combien je lui ressemble, qu'on m'aime (pour cette raison), ou qu'on me hait (pour cette même raison). Je suis passée du jour au lendemain du statut de fille cachée à celui d'héritière naturelle de mon père ; naturelle, comme fille naturelle, et naturelle seulement. L'héritage matériel était pour Danielle, sa femme officielle.

Alors, s'ils s'adressent un jour à toi, il faut que tu saches te composer une figure.

Mercredi 15 janvier 2003.
Crépon, Bourgogne

Et l'étonnement surgit encore lorsqu'on me parle de lui ; je l'ai bien connu, vous savez, c'était en 1960 ou en 1987, en Bourgogne ou dans les Pyrénées, suivent les anecdotes, qui devraient me concerner, sans doute. Chaque région que je parcours semble avoir été quadrillée par la présence de mon père. Les livres d'or sont remplis de ses signatures. Rares sont les lieux où je ne rencontre pas quelqu'un qui me dit avoir déjeuné avec lui, ou fait une promenade, ou dîné, la voix tremblante d'un souvenir intime, dont je me fais le réceptacle. Hier encore, cet antiquaire, dans un village qu'habitent des amis, me raconte que mon père venait ici souvent. Je ne le savais pas. Il ne faut pas trop avoir l'air ahurie, ou surprise. Il n'y a pas d'endroit vierge, non, parfois, j'essaye d'imaginer son regard sur les lieux, après avoir porté le mien, encore ignorant de son passage. Et ce besoin des gens de venir me voir pour me dire, me parler, me raconter. C'est à moi qu'ils viennent dans une assemblée de vingt personnes, je ne les connais pas, ne les reverrai pas, et, pourtant, ils ont besoin que je l'entende, ce souvenir, pour qu'il continue d'exister, pour qu'il ne finisse pas par se confondre avec un songe. Cela m'émeut, parfois moins. Que l'on me le rappelle, encore et toujours, que l'on me rappelle qu'en plus d'être une jeune fille de vingt-huit ans je viens de là, je porte sa mémoire. Et si, pendant dix-neuf ans, personne n'aura eu l'idée de me parler de lui, je suis désormais celle dont on vient combler les lacunes. Mais les lacunes demeurent, parce que dix-neuf ans de silence et de désintérêt sur tout ce qu'il pouvait être en dehors de moi, le désintérêt comme acceptation du silence, c'est trop long à rattraper. Et ce silence peut-être n'ai-je plus envie de le transformer. Il s'installe à côté des souvenirs des autres, côte à côte, mémoire et amnésie, paroles dites et paroles tues.

Mais il m'a légué la responsabilité de son image publique. Cette image de mon père je ne l'ai pas forgée, on me la balance aujourd'hui au visage comme si je devais en rendre compte. L'image hostile. Lui, l'homme public, c'est votre père fautif, qui nous a caché votre existence, le président de deux septennats controversés dont vous êtes le symptôme. Être un symptôme. La trace d'une maladie, la marque d'un vice, le tatouage au fer rouge d'une France attristée.

Les passions qu'il a suscitées me plaisent, d'une certaine manière. S'il est haï, c'est qu'il est aimé, ou qu'il l'a été. Ceux qui le haïssent si fidèlement me haïssent par ricochet. Je suis l'excroissance, l'écho vient s'abîmer en moi. Lui qui m'était si cher, pour de bonnes raisons, qui ne doivent pas qu'aux liens du sang. Lui qui souffrit tant de cette haine. Et moi qui souffris tant de sa souffrance. Une solidarité ambiguë m'empêche de comprendre les déchaînements de violence qui n'ont plus rien de politique.

Papa et moi embarqués dans le même voyage, rumeurs et condamnations secrètes. Alors envisager une séparation...

Il est plus difficile de quitter les morts que les vivants. Je n'ai pas eu envie de me souvenir. Pas tout de suite. On ne se souvient que des choses disparues.

Tu aurais aimé avoir un grand-père jongleur, acteur de cinéma, dompteur de lions, pompier ? Ou, comme moi, écrivain anonyme dont l'œuvre serait unanimement admirée ? Et qui aurait écrit sous un pseudonyme. Et que tous, ayant appris qu'il est mon père, viennent me féliciter, avec sympathie, admiration, sans non plus chercher à me connaître. J'aurais découpé les articles, plus élogieux les uns que les autres, pour te les montrer, plus tard, quand tu songerais toi-même à écrire.

Mais non. Tu as cette haine en héritage, avant même que d'être né.

Pas la peine d'avoir peur, j'ai la carapace qu'il faut. Je vais faire le ménage, pour t'accueillir dans un espace un peu ordonné. Mais tu sauras que je ne suis pas douée en rangement, et mon passé est un vestiaire encombré dont je rechigne à ouvrir la porte. Ça s'entasse et ça prend la poussière, les couleurs sont passées, peut-être ne retrouverai-je que des bibelots sans importance, ou des caisses cadenassées. Je me souviens bien des cadenas, ils pendent à mon cou, ils scellent encore mon corps, rouillés. Mais je te jure que j'en retrouverai les codes. Et ça prendra du temps, mais tout ce temps enfermé là en sera libéré. Alors tu pourras naître, sans couveuse, et choisir la peinture de ta chambre.

Et je ne ferai pas obstruction, et tous les vieux journaux alimenteront le feu de notre cheminée. Nous nous laverons les mains de leur encre sale. Et nous accrocherons des photos de famille, que tu ne trouveras pas dans les livres. Et jamais nous n'écrirons de légende. Ou seulement des dates, des lieux, l'évocation d'un souvenir, qui ne dira rien à personne. Ce seront nos nouveaux codes, je te léguerai les cadenas, que tu pourras ensuite jeter à la poubelle si tu veux.

Mais pour débroussailler la forêt, obscure et silencieuse, à la recherche de ces deux lutins, un père, une fille, je dois retirer les épines, les unes après les autres. Et ça fait peur les forêts noires, même avec ma lampe de poche.

Et puis les vérités des autres sont autant de fausses pistes, ça bruisse de partout, dans les fourrés, les mauvaises herbes ; les livres sur lui sont des troncs morts que je dois enjamber avant qu'on ne les ramasse pour les débiter en mauvais papier. Je suis déjà revenue sur mes pas, les impasses m'ont séduite, et la lumière m'aveugle, mais c'est bien vers elle que je m'oriente, clopin-clopant, c'était déjà un problème, quand j'étais seule, la nuit, les dragons dans les placards et les assassins sous la fenêtre.

Jeudi 30 janvier. Paris

La nuit, mes traits s'égarent et redessinent ceux de mon père, il paraît que je lui ressemble plus quand je n'y fais pas attention. Ce matin Mohamed, mon compagnon, un jour ton père, sursaute : « J'ai eu peur que tu me demandes ma carte de séjour. » Je lui tire la langue. D'ailleurs, j'avais oublié qu'un président de la République était le chef des polices. Et de l'armée. Et de tant d'autres choses encore. J'avais oublié qu'un visage peut en remplacer un autre, qu'ils sont nombreux ceux qui cherchent sur le mien ce qui pourrait lui appartenir, que je porte un masque plus qu'un visage, j'avais oublié que je pouvais sans cesse être prise en flagrant délit de filiation directe, de filiation ostentatoire.

C'est une manière pour Mohamed de me rappeler que je viens de cela, aussi, si surprenant que cela puisse être, si surréaliste. Sa manière de se moquer de moi. De mon père en moi, de nous aimer. Le nous est obligé, je le porte, il voudrait parfois alléger le pluriel.

Sa manière aussi de se venger, baiser la France, l'intégration par le haut.

Toi, tu parleras arabe, et c'est moi qui devrai

m'intégrer à ton langage qui ne sera jamais tout à fait mien. Entre mon père et moi un nom, entre toi et moi une langue, l'amour résout tout, nous nous chargerons ensemble des séquelles.

Ton père et moi, au supermarché, à Strasbourg-Saint-Denis, l'un au rayon fruits et légumes, l'autre au rayon laitages, c'est une gymnastique sans fin pour s'appeler sans prononcer nos noms. La première fois qu'il a crié « Mazarine », trois personnes se sont retournées, quand j'appelle « Mohamed », dix croient que c'est d'eux dont il s'agit. Son professeur de sport dans une salle du Xe l'appelait « mon petit », il croyait que dire « Mohamed » le ferait passer pour raciste. Il y a des noms comme ça qui écorchent la gorge. Maman qui n'aime pas trop se faire remarquer nous présente : « Mo-Ma », c'est drôle vous avez vu, comme le musée à New York !

Heureusement, tu pourras te rabattre sur « papa » et « maman ». Papa, un mot que je n'ai pas toujours pu crier au milieu de tout le monde. Même s'il m'est arrivé de le faire et de courir vers lui dans la rue, il ouvrait alors ses bras, indifférent aux regards. Pour le reste, il n'y avait pas de supermarché pour nous accueillir, nous n'avons jamais fait les courses ensemble. Alors je voudrais t'entendre le dire, partout, dans la rue et les squares, à la sortie de l'école, papa, maman, comme un cri de victoire.

Tu lui prendras la main, à ton père, dans le métro, au parc de Belleville, et je vous regarderai, toujours émerveillée que ces deux présences puissent être réunies en un lieu public.

« En public », mes parents à moi se vouvoyaient. « En public » : l'expression leur convient si mal. Et puis, entre nos murs, ils revenaient au tu, mais parfois devant témoins le vous revenait. Pour moi, abolition du tu, refus du vous, si bien que je choisis de ne pas m'adresser directement à celui dont je ne connais que le pseudonyme de papa. Maman parfois dit François Mitterrand, et même le Président. C'est drôle ce jeu de la distance. Cette troisième personne, toujours, dans ses conjugaisons. Ces mots qui nous protègent, à force d'être comme ceux des autres. Et les nôtres, qui ne font pas partie du langage, et qui nomment notre secret.

Mohamed s'amuse en imaginant ton futur patronyme « Abdelkader Mitterrand », « Fatima Mitterrand ». Ça sonne comme un oxymore. J'enchaîne : Mite errante, mitron, miteux... Qu'est-ce qui se dirait dans la cour de l'école si tu t'appelais Mitterrand ? Il faudrait que je demande à mes demi-frères, si un jour je leur parle. Moi, c'était Mazarine, Magazine, Margarine, Pingeot, Cageot, Peugeot, Pingouin. C'est déjà une chance qu'un prénom ne se transmette pas. Nous jurons qu'il faut en finir avec la malédiction des noms.

Pas facile. Je porte le nom de ma mère. Tu porteras celui de ton père. Mais, comme moi, tu grandiras avec l'idée de ce nom, Mitterrand. J'espère que tu te l'approprieras mieux que moi.

Vers la fin de sa vie, papa insiste pour que je le porte enfin, ce nom qui est le mien. Il aimerait bien. Pas moi : c'est trop tard, ou trop tôt. Ma petite vengeance.

Et puis, après sa mort, je commence à me poser la question. J'ai envie de comprendre ce qui m'appartient dans ce nom, Mitterrand, et, pourquoi pas, le porter un jour. Je ne me suis toujours pas décidée.

Longtemps, j'en ai même ignoré l'orthographe exacte. Comme tout le monde, j'hésitais entre un R ou deux. J'en avais honte, aussi ne pouvais-je demander à ma mère, encore moins à mon père, comment écrire M-i-t-t-e-r-r-a-n-d. C'eût été le blesser, lui si fier de ce nom, dont il avait cherché l'origine, par amour des mots et de la terre, ça tombait bien, Mitterrand est un mot qui parle de la terre. Mitterrand, « milieu des terres », m'explique un jour un flic étymologiste au lieu de prendre ma déposition de vol.

Honte d'être au même niveau que les autres, ceux qui encore m'envoient des lettres sur lui, en se trompant, ceux qui l'appelaient Mittrand parce qu'ils ne l'aimaient pas, et, apparemment, lui ôter ce E et ce R était une sorte d'insulte, honte d'être plus ignorante encore que mes camarades de classe, qui sans doute ne faisaient pas la faute, ou s'ils la faisaient, j'étais comme eux, rien ne nous séparait, et ma connaissance de l'homme qui portait le nom n'y changeait rien. L'orthographe me renvoyait à mon anonymat, m'y enfermait, et je ne faisais rien pour en sortir, prisonnière de ma honte. Est-ce qu'on avoue, à douze ans, ne pas savoir épeler le nom de son père ? Dyslexie avancée, incurable cancre... Mais c'est que je n'avais jamais eu à l'écrire, à le cacher seulement. Ne pas savoir l'orthographier était sans doute une manière de le dissimuler. Il n'existerait pas tout à fait tant que ce doute perdurerait. L'air n'y circulait pas. Pourtant je savais qu'on prononcerait MittErand, s'il n'y avait eu qu'un R, c'est ainsi qu'on nommait l'auteur de nos manuels de littérature, Henri Mitterand. Je lui en ai un peu voulu, à lui aussi, d'être obligée d'entendre ce nom dans les salles de classe. Il n'avait rien à voir avec nous, bien sûr, mais ce pincement au cœur, à chaque fois qu'il était cité. Mon doute s'est alors déporté vers le T, ce n'est pas difficile pourtant de se rappeler le doublon, deux R, deux T. Mais il y a des choses faciles qui restent réfractaires à la mémoire. C'est ainsi que longtemps j'ai traîné le doute sur quelques orthographes évidentes, des adverbes souvent, les moyens mnémotechniques ne m'étaient d'aucune utilité, ils pouvaient se retourner en leur contraire. Le plus étrange est que je n'ai jamais cherché à vérifier dans un livre comment je m'épelais.

Ce n'est qu'après avoir dû écrire ce nom, dans des courriers, des articles et des droits de réponse, que j'ai pu l'orthographier correctement sans avoir à me poser la question du R, du T. C'est devenu automatique, mécanique, familier.

Le nom n'a pas forcément suivi l'orthographe. Lorsqu'on me demande si c'est bien moi, Mazarine Mitterrand, une seconde d'étonnement précède toujours ma réponse. Je peux répondre oui, sans avoir l'impression qu'il s'agit bien de moi. Plus habituée au génitif, la fille de. Oui, je suis la fille de Mitterrand, quant à l'être moi-même, Mitterrand, c'est une autre question. J'ai trop longtemps oublié que mes racines allaient aussi chercher du côté de mon père.

Il représentait pour moi la terminaison d'une lignée et un commencement, comme si le jour où il m'a conçue le déliait de tout attachement. Il était déjà un vieil homme, une nouvelle vie cependant s'offrait à lui, une nouvelle virginité. J'étais l'enfant d'un homme déjà fait qui avait relativisé l'importance de l'ambition dans une vie. J'étais le fruit d'un homme presque achevé, d'une somme d'existence réfléchie. J'étais aussi le fruit de l'amour. Je représentais la joie gratuite de créer de la vie. J'étais aimée avant d'être, et ne devais pas décevoir, mais je ne pouvais décevoir puisque aucune attente ne me précédait. J'étais un aboutissement, une fin, une mort pour une vie. La concrétisation d'une passion, sa clôture aussi dans un certain absolu. Peut-être n'étais-je donc pas tout à fait destinée à vivre, puisque je ponctuais quelque chose ou quelqu'un bien que ce quelqu'un fût un père. Mais c'est aussi lui qui m'a appris la joie de vivre, et m'a légué l'instinct de conservation. J'en oubliais vite qu'il avait pu vivre avant moi, et qu'il n'avait pas toujours été cet homme mûr et sage, même si je le voyais encore batailler contre des adversaires dont j'entendais les noms, que je voyais à la télévision. Nous ne nous mélangions pas avec la réalité, il avait recréé cette bulle idéale, dans laquelle ma mère se lovait, sauvage et farouche, jalouse de son privilège et de ses renoncements.

Ce qu'il fit avant moi n'avait pas le droit d'être, restait distinct de notre amour, de ma personne. Comme si l'adolescent puis l'homme avant cinquante-huit ans ne pouvaient être mon père, il ne s'agissait pas du même personnage. Comme si je n'avais rien à voir avec ses autres vies puisque j'avais la plus belle. Je me suis amputée d'une autre connaissance, celle qu'en ont les autres.

Quand, en seconde, le professeur évoque le jeune ministre François Mitterrand, je baisse les yeux, je note F.M., j'oublie les dates et les titres, je retiens plus mal qu'un autre, parfois ma mémoire a quelques résistances. Heureusement les dissertations ne portent pas sur ce sujet. Le professeur aura été informé. D'ailleurs j'aurais fait comme tout le monde. Au fond, je ne connais pas mieux que les autres le jeune François Mitterrand, ministre de la quatrième République. Je découvre les photos dans mon manuel, elles ne font pas partie de nos albums de famille.

Ma famille, ce sont mes cousins, mes oncles et mes tantes maternelles, que j'aime tendrement. Ils m'ont fait le cadre d'une enfance gaie, merveilleuse, presque normale.

Tu ne connaîtras sans doute que cette famille-là, des grands-oncles et des grand-tantes, des grands-cousins, qui étaient comme mes frères. Pour le reste, il faudra te plonger dans les arbres généalogiques, moi je n'ai pas le courage de le faire. Les degrés ont été un peu bouleversés, tu compteras en demi, issu, arrière, que des termes négatifs, vois-tu, des moitiés de liens avec des êtres sur papier. Et puis il y aura ton grand-père, direct celui-ci, même si tu ne porteras pas son nom.

Tu ouvriras ta main, et, sur les lignes, je dessinerai un avenir fabuleux, puis tournant avec l'index, te chanterai, « c'est la petite fontaine, où les oiseaux vont boire », et, à la fin, tu auras six doigts, tu ne comprendras pas comment l'un d'eux aura poussé ainsi, à ton insu. Nous recompterons ensemble, à nouveau six. Tu t'inquiéteras un peu, le rire très proche des lèvres, et finalement éclos. Et dans cette main, si menue, j'entendrai mon rire à moi, celui de mes cinq ans, toi, tu sentiras mes phalanges grossières replier une à une les tiennes, et tu sauras, à ce moment-là, que direct, oui, il l'est ton grand-père dont j'ai hérité les doigts carrés de paysan, et peut-être auras-tu hérité des mêmes, si tu es une fille tu m'en demanderas raison, si tu es un garçon, tu en seras fier. Mon père est dans mes mains. Tu replieras l'arbre généalogique, ni olivier ni chêne, la sève de cet hybride, c'est toi, petit bourgeon, qui t'en nourriras. Moi, j'ai coupé les branches trop tôt.

Mais d'autres ramifications te rattacheront au soleil, l'Océan rythmera tes étés, cette grande famille pleine de femmes qui parlent vite en faisant la cuisine, elle t'attend, de l'autre côté de la Méditerranée, dans un petit village de pêcheurs, blanc et bleu. Et ton père te racontera une autre histoire, la sienne, dix-sept ans enfermé, là-bas, sans un sou, puis un jour, la traversée, l'arrivée dans une ville immense, dont il ne connaît pas la langue, ni le métro, ni les immeubles qui découpent le ciel, ni les bars, ni les grands magasins, ni le flux, et qu'il fait vite sienne, loin des siens, loin des tiens. Il t'aura construit la passerelle.

Mercredi 12 février. Paris XIe

La maison de Gordes sera la tienne. Si je peux fuir Paris, j'irai dans quelques jours y reposer ma mémoire. Nous n'avons pas eu d'autres espaces communs avec ton grand-père : lieux de passage, passages secrets, rien qui attire les regards, appartements aujourd'hui occupés par des inconnus, et voitures sans doute à la casse, dont on aura peut-être sauvé les vitres blindées. Elles étaient épaisses de plusieurs centimètres, il n'y a pas de musée pour cela, où je pourrais te montrer les gadgets de président, qui t'auraient impressionné bien plus qu'une page d'histoire. C'était le privilège du secret, nous n'étions pas assaillis, mais sa faille, c'est qu'avec lui les souvenirs se taisent, et les lieux se referment sur le passage d'une femme de ménage. Nos icônes sont de mémoire.

Je n'ai jamais eu de maison à vider. Pas de ménage à l'Élysée, pas de cartons à Le-Play, pas d'état des lieux à Souzy. Les meubles ne nous appartiennent pas, le reste revient à la famille légale. Je sauve des chaussures. Que je prête à mon amoureux. Mais elles ont pris l'humidité. Pour le courrier, j'irai aux Archives nationales. Je ne peux pas garder mon chien, dans un studio, lui qu'on a habitué au grand air. Je n'ai qu'à partir. Plus tard, ma mère fera un détour, pour ne pas passer devant les lieux où elle a vécu. Les clandestins ne laissent pas de trace, n'en conservent pas non plus. Alors nous avons acheté un appartement à crédit et un chien, accroché des photos de mon père, accumulé des livres et des couverts, et tout cela sera mon héritage, tu y grandiras en pouvant écrire sur les murs. Plus tard, adolescent, le week-end, tu apporteras ton linge sale et récupéreras de vieux disques. Et sur la boîte aux lettres, il y aura toujours eu ton nom.

Je n'ai pas la manie des archives, des preuves écrites de mon existence ou de celle des autres. Les mots manuscrits passent, ceux qui sont imprimés restent. Il y a la vie et la littérature. Je ne jette jamais rien mais j'égare. Il n'y a que les amants pour conserver leurs lettres, comme une preuve à charge, un souvenir de ce qui peut disparaître, un barrage contre la précarité du sentiment, une lutte sans espoir contre le temps. Mon amour pour mon père ne peut disparaître. Notre lien n'a pas besoin de preuve ni même de témoins. Je n'ai pas besoin de posséder des petits riens, et en même temps ils me manquent. Mais où les conserver, qu'en faire, quand les lire sinon au hasard d'un rangement ? Ma mère est conservateur de musée, elle sait mieux s'y prendre, et même avec passion.

C'est ce sentiment qui a contribué à m'empêcher de me retourner : infidélité, incapacité de traduire une vérité, de la retrouver, de l'exalter. De la même manière que je n'aime pas raconter mes rêves parce que les mots sont inaptes à exprimer leur texture si particulière, j'ai du mal à dire mes souvenirs.

Mais tout ce qui échappe au langage échappe à la pensée, puis à la mémoire. Mettre des mots sur des moments de vie, des odeurs familières, des émotions fugaces, est une manière de les trahir, mais la seule de les ressusciter. Seulement ces moments, déjà lorsqu'ils étaient vécus, ne devenaient jamais des mots. Chercher derrière le silence ce qu'il dissimulait. Inventer un langage à ma mémoire, accepter ses mensonges. Ils recèlent une part de vérité.

Je ne peux pas être chronologique. Mais tu verras, une vie ne l'est jamais.

Le rythme des jours peut aussi se mesurer aux allées et venues d'un homme qu'on aime.

Les durées de chacun se croisent mais ne se ressemblent pas.

Pour ma mère, le dehors du monde était atemporel. Les ombres de l'histoire ont toutes la même obscurité, et dans l'obscurité la passion. Mais la passion, tant pis, la rattache à l'histoire.

Mes parents ont vécu un même amour sans vivre une même époque, l'un enraciné à l'intérieur de son temps, le devançant souvent, l'autre extradée vers des régions où seul le sentiment fait loi.

Alors dans quel siècle vivait notre maison ? Nous échappions, n'est-ce pas, aux aléas de l'*événement*. Il restait au seuil et reprenait ses contours dès que nous refermions la porte. Les bruits du monde nous parvenaient par le petit écran. Les connaissances de papa. Des histoires de bureau. Clinton, il est gentil ? Le reste ne m'intéressait pas.

Parfois mon père, à la télé, avec sa voix pour les autres, rauque quand elle est douce dans la salle à manger pour commenter souvent avec irritation les petites faussetés quotidiennes, les difformités du regard des autres. Moi, je préfère Santa Barbara.

Maman aurait voulu d'autres enfants. Il ne faut pas exagérer. Cinquante-huit ans, c'est âgé, on ne programme pas des orphelins.

Alors elle a oublié de conjuguer. L'exemplaire unique est devenu son modèle de calcul. Une fois un égale un. Un homme, un enfant. Un métier. Trois points suffisent à créer l'espace – plan. Manque la profondeur de champ. La dimension du monde. On peut s'en passer, apparemment.

Mais trois restent toujours deux plus un. On joue beaucoup au jeu des chaises musicales, à la maison. Au final, les scores sont équitables. Avec une petite avance pour l'équipe François/Mazarine. La différence des sexes, ça aide. Un père et une fille ont quelques facilités à ce jeu. Les trois tilleuls de Gordes forment un triangle autour de la table en pierre.

Nous sommes l'épure d'une famille, un noyau sans fruit mais avec coque, un cœur à trois, mais sans corps, sans rien d'autre que des battements qui s'évanouissaient de ne se répéter que pour eux. Il n'y a pas de caisse de résonance. C'est fort, mais ça peut rendre asthmatique.

Ai-je été trop protégée, m'a-t-on menti en me créant un monde de beauté, mais un monde sans arrêt léché par la flamme de la mort, gardienne de cette beauté ? A-t-on voulu m'épargner le parcours, le rugueux, la déception, le temps ? Quel était alors mon avenir ? Privé d'une possibilité de douleur objective ? Et si cette douleur n'avait plus de fondement, c'est bien que j'étais coupable, enfant gâtée atteinte d'une peine anormale.

Coupée du monde par ce statut d'enfant cachée, j'existe trop dans le cœur de mon père, pas assez dans un réel, possiblement laid.

J'ai longtemps souhaité être différente, c'est-à-dire normale. J'ai rêvé des papa maman employés de bureau, et des portes qui ne se referment pas sur ma solitude. Des frères et sœurs pour jouer à inventer un autre père, moi j'ai écrit dit qu'il était capitaine de navire, et moi acteur de cinéma, et s'échanger nos origines, comme un jeu de cartes.

Mais l'imagination en vase clos au lieu de délirer se ferme. J'avais pour obsession la banalité. Mes espaces oniriques étaient ceux de la réalité. Je me suis inventée réelle à défaut de me dire.

Cette réalité n'était qu'un effet d'illusion, auquel je ne croyais même pas. Cette réalité « difficile et belle seulement par les interprétations qu'elle permet » c'est lui-même qui l'écrit. Je ne pouvais devenir belle en m'interprétant réelle.

Je devais tenir le mensonge et la vérité dans une même main, si je m'écartais trop, elle pouvait s'évanouir, cette vérité, puisque moi seule la connaissais. Et moi, ce n'était pas grand-chose.

La vérité, c'est un mot que j'ai entendu prononcer, moi la petite cachotterie, la petite omission, mais je respire, je parle, je suis un être humain, un vrai, en chair et en os. Je suis la vérité de mon père, pour ceux qui n'étaient pas au courant. Ils se sont sentis floués, comme s'il n'y avait de vérité que cachée. Mais aussi un mensonge pour ces autres. Alors vraiment, puisqu'il faut parler vrai, je n'ai jamais compris finalement si j'étais vérité ou mensonge.

Il faut nettoyer tout ça, pour rendre proprette la vérité, sans tache, immaculée, lisse, transparente. Et puis l'encadrer, et puis l'exposer, parce que la vérité doit être vue, montrée, admirée, faire attention à l'éclairage, éviter les ombres, combattre la perspective – c'est une astuce pour faire vrai –, combattre les astuces. Et offrir un bouquet de sentiments vrais, un champ de vies vraies, un monde de personnes vraies, tout cela sous un soleil de midi, celui qui triche le moins.

Dimanche 16 février. Gordes

Il neige. C'est rare. Les branches pleurent et j'ai les pieds mouillés. Thélème II, ma petite labrador, retrouve son élément naturel ; elle court en rond, attrape en passant des boules de neige qui fondent dans sa gueule. Elle éternue. Elle si blanche paraît jaune. Les pas s'enfoncent sans atteindre le sol. Ce pays tantôt sec, parfois vert, est aujourd'hui immaculé. Le feu brûle dans la cheminée. Nous sommes allés déjeuner chez un ami dans un petit village au-delà de Sénanque. Les routes étaient glissantes et dangereuses, l'abbaye recouverte elle aussi d'un toit blanc surgit au fond d'un brouillard calcaire. Les nuages s'accrochaient aux falaises. Il fallait les diviser en coupant au hasard, par le regard perdu. Dimanche envoûté et silencieux, où les échos meurent au milieu des flocons. Mohamed écrit son scénario.

Au début, Gordes n'était qu'un lieu nu. Dès que mon père aimait un pays, il voulait en posséder une parcelle.

Dans les Cévennes, il a acheté quelques arpents de terre, inutilisables, une petite colline, des cailloux, quelque part, un acte de propriété. Son nom sur un registre. Perdu ? Il achète un bout de terre comme on achète un bout de lune. Un lieu de pierres, dont même les chèvres ne voudraient pas.

À Gordes, il est allé plus loin. Au début, ce n'était qu'un terrain voué au même destin. Puis il a fait construire une petite maison. Peut-être leur seule possession commune. Longtemps, ils ont habité, avec maman, chez Pierre et Laurence Soudet.

Pierre est mort, et Laurence a légué la maison à ses nièces espagnoles.

Pierre était l'un des pionniers du village. Il avait fait acheter à ses amis des bouts de maisons en ruine ou des ares. Un village d'artistes et de camarades. Papa a laissé son terrain en friche, jusqu'à ce qu'une loi le rende inconstructible en raison de son exiguïté. Ils ont vite érigé deux pièces avant que la loi n'entre en vigueur. Plus tard, nous avons pu agrandir. Un peu.

Jamais papa ne sort ni ne reçoit. Ici, c'est son havre, son repaire, son abri. Je passe dans la cour, et le vois à travers la porte vitrée, allongé sur le lit bateau, sous la couverture brune, il lit quatre à cinq livres en même temps. Ses lunettes carrées sur le nez, s'il m'aperçoit, il me fait signe. Mais je me cache. Le matin, je sais qu'il téléphone. Que ce havre d'où il appelle pour se relier à l'autre existence est en dehors du monde, que pour moi il est le monde.

Lorsqu'il en finit un, il le range dans la bibliothèque. Ça lui prend du temps : trouver la place adéquate, ressortir le livre, l'ouvrir à nouveau, le remettre, contempler la rangée, lire les titres. Cérémonie devant un petit temple de papier. Plus tard, je reprends les ordres.

Maman jardine, s'occupe de la maison, cuisine, fait toujours quelque chose. Moi au contraire, je ne fais rien. Rien de concret. Je ne suis pas une enfant très concrète. J'invente des histoires, je dessine, je parle toute seule, ou avec ma cousine.

Les repas sont simples, toujours les mêmes. Papa ne supporte pas tout ce que je trouve bon, la cuisine de restaurant, les plats compliqués de l'Élysée. Il mange les œufs à la coque en savourant le plaisir de ne pas manger un suprême de saint-pierre au beurre blanc. Moi en imaginant le contraire. Au menu, côtes d'agneau et pommes de terre en robe des champs, cuites dans la cendre. Ce que je préfère, c'est la croûte brune. Et le beurre salé. Ça arrange maman. Elle n'aime pas cuisiner. Ce qu'elle aime, c'est aller au village à pied avec les chiens. Son échappée. Rentrer à la maison est encore mieux. Ce qu'elle aime, c'est mon père.

Le soir, sur le banc de pierre, maman à sa droite, moi à sa gauche, il dit bonsoir à la nuit : « Bonsoir la nuit, bonsoir les étoiles, bonsoir le lion qui n'a pas de dent et qui ne mange que du yaourt sous le vieux château de Gordes, bonsoir la mer et les nuages, bonsoir le tilleul, le micocoulier et le chêne, bonsoir l'olivier. » En écoutant la litanie, je cherche la Grande Ourse et l'étoile du Berger. Les nuits de septembre sont presque blanches. On peut toucher la Voie lactée. Il chante aussi, des paroles ajustées « au-delà des nuages, nous irons tous les trois... ». L'air accélère, nous tournons en rond jusqu'à ce que je tombe. Et qu'il me retienne.

C'est comme ça que nous nous parlons. Par des rituels jamais tout à fait identiques.

Je m'ennuie quelquefois. J'apprends les joies de cet ennui des romans du XIXe siècle. Ennui sensuel, nostalgique, différent de l'ennui sec des grandes villes dont l'envers est le divertissement. Je n'ai pas encore la passion des livres et préfère les chiens. Papa habite les lents après-midi de septembre. Il ne donne jamais l'impression de trouver le temps long. Il m'a dit un jour ne jamais s'ennuyer. J'en ai été jalouse. Puis je me suis convaincue que, moi non plus, je ne m'ennuyais pas.

Je rêvais frères sœurs amis en pagaille. J'avais un chien et un chat. Ils ont fait pour moi le choix de leur solitude.

Notre maison sera pleine d'enfants.

Mardi 25 février. Gordes

Mon père est là, dans les arbres, les chemins de terre, les ruisseaux. Ses pensées égarées ont laissé quelques traces, sur des monts rocailleux, dont il inventait la poésie avec ses pas.

Il était fait de terre et de chêne. Je respirais sur la peau de ses mains les feuilles sèches et la tourbe, la saveur des saisons à l'ombre des tilleuls. Lorsque nous arrivions à Gordes, il me prenait par la main pour aller embrasser les troncs de nos trois arbres, les deux premiers, un tilleul argenté et un tilleul vert, plantés l'année de ma naissance. Il y avait le sien, le plus beau, le mien, le plus parfumé, puis celui de ma mère, le plus utile – du moins c'est ainsi qu'elle l'avait qualifié avec son orgueilleuse humilité – pour l'ombre et le moins tape-à-l'œil, qu'il planta peu après et qui refermait le trio. Au milieu se dresse la table en pierre où nous prenons nos déjeuners. Une table d'un beau calcaire ; papa était si fier de la taille qu'il avait commandée qu'on ne pouvait pas aisément rire de l'échec parfait de la découpe : la pierre imite le béton, ce qui, dans ce pays, est un exploit. Le temps la polit peu à peu, l'érode, l'obscurcit..., mais la table n'arrive toujours pas à être belle. Sauf pour ma mère et moi.

Et pour toi peut-être qui n'auras connu qu'elle. Quelle vision auras-tu de ce lieu qui lentement s'est transformé, et qui aura à tes yeux le caractère de l'immuable ? C'est ainsi que j'ai cru la maison d'Auvergne, avant de n'y plus revenir, enfance chassée par héritages, pierres peu à peu vendues qui gardent peut-être les signes kabbalistiques qui diront mon passage.

Il a fallu couper quelques branches du tilleul argenté qui envahissaient l'espace, mais il reste le plus imposant.

Je me retrouve à pêcher dans mes infidèles images, recouvertes par d'autres, des gestes, des intonations, des caresses et, plus difficilement, des conversations. Je ramasse les fragments pour te construire une histoire. J'ai en bribes au fond de moi la personne de mon père, mais je n'arrive pas à reconstruire un dialogue qui le ferait revivre. L'enfance laisse des ambiances. Mais les yeux de l'enfant ne dessinent pas une personne entière. On ne recrée pas de la vie par la simple mémoire. Elle a été dévastée par d'autres résistances. Je n'ai pas de fil pour recoudre toutes les petites choses éparses et accumulées dans un désordre jamais rangé. Mauvaise en couture, plus encore en broderie. Je ne sais pas réparer les trous. Ni jeter. Les paires se séparent. Un jour, je retrouve l'autre gant.

Le chaos de la mémoire est une provocation. J'essaie d'extraire du flou ce qui le ferait revivre. Mais la vie est partie, et elle ne se recompose pas à coups de souvenirs ou d'albums photo.

Pourtant, à Gordes, les objets ont une mémoire. Il faudrait les écouter, en dresser l'inventaire, les ficher dans un boîtier par ordre alphabétique, leur inventer une chronologie, une histoire, un pays d'origine. Des objets qui livrent la voie aux souvenirs indécis et qui pourtant n'ont pas de rapport avec ces souvenirs. Des objets qui réconfortent, des miroirs d'enfance, des boîtes à musique d'où s'échappent des séquences de quasi-mélodie. Des objets qui exigent de s'écrire en histoire, des histoires qui mènent à d'autres. Des objets qui m'attendent pour les délivrer du silence, qui demandent à ressusciter, qui renvoient à d'autres lieux d'autres temps.

Gordes me protège, nous sommes entre nous n'est-ce pas, je peux te raconter ce que le filtre laisse passer. Petit carnet à souvenirs, petit mémoire, petit pensum, nouvelle méthode préconisée par d'autres puisque, moi, j'ai échoué, pour les capturer, ces images, je fais pour toi mes devoirs d'inventaire.

Inventaire n° 1.

J'ai presque huit ans.

Une chambre anonyme, au papier bambou jaune. Du mauvais bambou. Mon chat le déchirait. Il avait raison. C'était vraiment moche. Quelques jouets camarades, pas de camarades pour jouer avec. L'Alma, le temple du silence, le lieu de papa et maman où le dehors n'entre pas. L'école ferme, la rue aussi, la ville peut aller mourir, on ne s'en apercevra pas. Je téléphone. Des heures. Pour ne pas parler toute seule. Le gravier grince, le portail métallique s'ouvre et se ferme. Quelqu'un entre. Il est trop tôt. Mais peut-être. Le chat le saura avant moi. S'il court vers la porte et ronronne, c'est maman. Je serai soulagée de la voir arriver, mais ne lui dirai rien. Sans doute vais-je même bouder un peu. C'est un jeu qu'on connaît bien dans la famille. Le premier qui dira qu'il est heureux a perdu.

Inventaire n° 2.

Le matin, le petit déjeuner est dressé sur la planche en bois posée sur des tréteaux. Maman s'est levée avant nous. Elle presse le jus d'orange et fait bouillir de l'eau. Il faut me tirer du lit à plusieurs reprises. Papa s'habille. Je crois qu'il n'aime pas trop se réveiller non plus. Mais si l'on veut que l'œuf ne soit pas dur, il faut se dépêcher. Bientôt, je détesterai les œufs à la coque. Pour l'instant, il y a débat sur la dénomination des tranches de pain que l'on trempe dans le jaune. Papa n'en démord pas. Cela s'appelle mouillette. Mais je préfère le mot des Pingeot, la lichette, il est plus alléchant. Question d'allitération. Nous écoutons France Inter, Alain Rey est le chéri de ma maman. Papa s'énerve en écoutant Stéphane Paoli, mais je sais bien qu'il ne pourrait pas s'en passer. Ce qui est bien avec la radio, c'est qu'elle évite de parler. Le matin, c'est même salvateur. Il fait chaud dans la cuisine. Toujours chaud. C'est donc ma pièce préférée. La lumière entre. On ne se croirait pas dans le même appartement. Il y a des odeurs, bonnes en générale, chaudes elles aussi. Ça met un peu de vie. Je bois du thé. Mes parents ne prennent pas de café.

Le matin est un sas de décompression. La bulle est prête à éclater, maman va partir à vélo pour le musée, papa en voiture pour l'Élysée ou pour le bout du monde, moi au lycée, et le petit déjeuner se refermera. Jusqu'au soir, à huit heures, où nous nous retrouverons. Pour regarder les informations, où l'autre homme, celui que je ne connais pas, s'adresse parfois aux Français. Ses chers concitoyens. Mes parents l'observent, maman le critique ou le complimente, papa l'étudie, quant à moi je l'ignore. Je ne connais pas François Mitterrand, il m'est étranger, un robot à la voix identique et à l'éloquence sans faille qui revêt le déguisement du jour. Parfois quand même, j'ai encore peur qu'il ne se trompe, tousse, éternue.

Le carrosse chaque soir se transforme en citrouille, et c'est mon père qui me revient, me serrant les doigts et me posant quelques questions, vite arrêtées par mon silence. Je n'aime pas parler de ma journée, ils ne comprendraient pas, elle appartient à un autre monde. Nous regardons un film, maman fait ses fiches, papa est allongé sur sa chaise longue, les pieds en l'air, quelques journaux à ses côtés, je m'assois dans le canapé, à côté de lui. Bientôt j'irai me coucher, il viendra m'embrasser, me chanter *À la claire fontaine* qui se termine par des mots rassurants « il y a longtemps que je t'aime, ma petite fille chérie, jamais je ne t'oublierai ». Maman vient me dire bonsoir en coup de vent. J'embrasse mon père sur la pointe du nez puis sur le lobe de l'oreille, les démons seront expulsés pour cette nuit encore. Mes gestes sont chargés de pouvoirs magiques.

Ni moi ni maman n'aimons le quai Branly, que nous appelons l'Alma. C'est loin. Et ce n'est pas chez nous. Chez nous, c'est rue J. Nous avons vaillamment résisté. Mais les gardes du corps voient le danger arriver de la cave, des escaliers sombres, des cuisines du restaurant Les Assassins, qui donnent sur la cour, dans le nom même du restaurant, où ils mangent tous les soirs, au son de chansons paillardes que du coup je connais par cœur, des toits sous lesquels nous vivons, du manque de sommeil – ils n'ont nulle part où dormir. Ils enjoignent mon père de leur faciliter sa protection. L'appartement serait un coupe-gorge. C'est ainsi que nous l'aimons. C'est aussi l'appartement que ma mère a acheté avec ses premiers salaires et n'a pas fini de rembourser. Elle y est attachée. Alors une amie nous prête son appartement de fonction. Elle vit ailleurs avec son mari. Pendant trois ans, la victoire est un compromis. Nous vivons d'allers-retours entre la rue J. et le quai de l'Alma. De petites culottes et de brosses à dents dans le sac de l'école, sur le panier de la bicyclette. Des nomades à vélo. Puis le panier devient trop petit pour imiter le camion de déménagement. Alors nous nous installons à l'autre bout du monde. Dans un quartier que les commerçants ne connaissent pas. Haussmann n'est pas mon ami. Je suis même prête à me fâcher avec la Seine. Une autoroute nous sépare d'elle. Premier étage. Ni en haut, ni en bas. Au milieu de nulle part. La cour est grande pourtant. Pas envie de jouer avec les autres enfants. Devoir encore leur dire qui je ne suis pas, où sont mes parents, leurs doutes, leur curiosité. Préfère rester toute seule, écouter de la musique et inventer une chorégraphie. Ou jouer à l'élastique, dans l'entrée, entre deux chaises. Mais j'attends avec impatience papa et maman pour qu'ils fassent les poteaux. Surtout papa. Maman n'aime pas rester à ne rien faire. Elle ne comprend pas le jeu. Papa, lui, apprend à compter les points. Il sait admirer mes sauts, les commente. Je lui demande d'essayer. Pour avoir un adversaire. C'est un meilleur pilier.

J'emporte l'élastique partout où je vais. Ne le lave jamais. Le remplace seulement quand il casse. Dans les rues de Jérusalem, en voyage avec mes parents, je me fais une amie pour qu'elle tienne l'élastique dont l'autre bout enroule un poteau de stationnement. J'occupe le trottoir, et m'arrange pour échanger ma place avec elle le moins possible. Je ne suis pas très généreuse. Au loin, des coups de feu. Je m'en souviens. C'est tout.

Un jour, à dix-sept ans, je retourne seule rue J. Mes parents sont toujours installés à l'Alma. Je les ai quittés. L'appartement n'est plus le même. La vie l'a déserté, dix ans de vie...

Inventaire nº 3.

Mes parents rentrent tard. Je suis seule et l'appartement est grand. J'ai peur. Parfois, je prends mon courage à deux mains pour aller dans chaque pièce inspecter s'il n'y a pas de voleur. Puis je ferme les portes. Dans mes jours de lâcheté, je reste dans ma chambre et ne bouge pas, verrouille si j'entends du bruit. Je le surveille. Le bruit. Il est plus fort lorsqu'il fait noir. L'hiver est plus dangereux que l'été.

Aujourd'hui encore, dans un studio de vingt mètres carrés, je vérifie dans les placards quand je rentre. Des présences m'entourent. Avant de m'endormir, si je suis seule, les bruits prennent des allures d'effraction. Je les écoute attentivement pour bien déceler la présence du voleur, son pas, ses maladresses, je l'entends monter, ouvrir la porte, à ce moment je me lève pour vérifier s'il est là. Je m'invente des ruses pour dissuader ses violences. Des scénarios numérotés selon sa personnalité, un livre entier des réactions envisageables en cas d'agression. Mes chiens n'aboient que sur les invités. S'ils ne connaissent pas, ils remuent la queue. Et ils aiment tellement dormir. Mes nuits sont habitées, ma solitude ouvre les portes, seul le corps de mon amour me protège.

L'enfance peut devenir parfois une vilaine maladie quand elle continue d'être un sortilège.

Ce rêve de l'assassin, jadis une certitude : j'ai neuf ans, j'attends maman dans l'appartement vide, enfermée dans les toilettes après avoir regardé dans les placards mais on ne sait jamais. Quatre heures à hurler dans un mètre carré, assise parfois sur la cuvette, après avoir beaucoup tourné, vérifiant le verrou. Dehors, les murs sont solides, les portes gardées. Même dans une tour d'argent on peut avoir peur, la prison ne protège pas des angoisses. Si j'ai des gardes du corps, c'est bien que ma vie est en danger. Si le monde est si loin, c'est qu'il veut ma mort. Et puis, ma solitude est terrifiante.

Je vais à l'« étude » jusqu'à six heures, regarde mes camarades rentrer chez eux à quatre heures et demie, la main dans celle de leur mère. Ils se dirigent, c'est sûr, vers la boulangerie. J'adore les pains au chocolat. Mais ils font partie de la catégorie « luxe et superflu », comme les taxis. Maman m'a préparé un goûter. Les demi-lunes se sont écrasées contre la banane. Et je dois partager avec ceux qui n'en ont pas. J'ai envie de faire pipi, les toilettes sont sales. Je vais essayer de me retenir. Encore une heure et demie dans la cour déserte. À jouer avec ceux de l'« étude ». Le reste du temps, on ne se parle pas. Les enfants des parents qui travaillent tard sont toujours attirés par ceux que les parents viennent chercher à la sortie des classes. Ils ont quelque chose de mystérieux et d'enviable que les autres ne possèdent pas.

J'ai six ans. Le premier soir de l'école, je porte le tablier « au lapin ». Je suis fière. Mais à quatre heures et demie, je dois encore rester une heure et demie. Il n'y a que des grands, des que je ne connais pas. Je m'assois toute seule à une table et ouvre un livre. Je ne sais pas lire. Il est à l'envers. Personne ne me prévient. Maman arrive, elle a envie de pleurer. Heureusement je me fais une copine. Bien sûr, sa mère vient la chercher avant l'étude. Sa mère est très gentille. Elle me prend avec elle. Mes parents la rencontrent. Elle n'a pas de travail. A arrêté de vendre des fruits et légumes sur l'autoroute. Papa l'engage. Elle est ravissante. Elle est adoptée. Entre dans le secret comme on entre dans une secte. Prend sa part de silence. Elle m'aime beaucoup. Moi aussi – je l'adopte. Mon univers s'agrandit.

Inventaire n° 4.

Puis il y a les gardes du corps. Maman refuse qu'on la suive mais accepte pour moi. Il ne faudrait pas qu'on m'enlève. Maman n'accepte pas grand-chose. Ne va pas jusqu'à prendre un charter et une chambre dans une pension voisine quand nous partons avec papa dans un pays lointain. Ce serait perdre un peu la poésie de nos escapades. Maman n'aime pas les privilèges, mais ne déteste pas le romantisme.

Ce qu'on critique aujourd'hui. Le romantisme ou les privilèges ? Les deux, mon président. Un adultère privilégié.

Les gardes du corps sont mes meilleurs amis. Ce sont les personnes que je vois le plus, à qui je n'ai rien à cacher. Plus tard, plus vieille, c'est à eux que je dissimulerai le plus. Pour l'instant, ils sont un peu ma famille. Nous partons en vacances ensemble. Ils me font faire de la moto et taillent les arbres de ma grand-mère. Eux seuls savent couper le jambon et faire des feux dans la cour où nous faisons fondre du camembert. Ils me déposent au lycée, viennent me chercher. Je me cache pour monter dans la voiture. Leur demande de se garer un peu plus loin.

Un coup d'œil par-dessus l'épaule. Je m'engouffre. Tire le voile sur la journée, pour une autre vie.

Papa mort, ils seront remerciés. La plupart. Les proches, en général ; licenciés ou contrôlés par le fisc. On dit que la chasse aux sorcières n'existe plus.

Adolescente, je demande à mon père de ne plus être suivie. Il accepte en principe, mais fait en sorte que la sécurité soit simplement plus discrète. Lorsque j'aperçois un garde, j'essaye de le semer. J'ai dix-sept ans. Je rencontre des garçons. Devoir leur avouer que je suis suivie, que nos maladroits débuts sont épiés, qu'ils peuvent faire, pourquoi pas, l'objet d'enquêtes. Sans pouvoir leur dire pourquoi. Mes initiations sont accidentées.

J'ai honte d'être protégée. Honte de les savoir là, qui m'observent, honte d'un premier baiser. J'ai toujours l'impression qu'on m'espionne. Je suis un œil sur moi, celui que je leur prête. Je dois me cacher de tous côtés. Cacher mes parents aux amis. Cacher mes amis aux gardes. Cacher qui je suis à tous. J'aurais dû avoir la vocation d'un agent secret. Mais je déteste le secret. Surtout celui des autres.

Je continue de les aimer comme des grands frères, mais des grands frères gênants. Aujourd'hui, on se retrouve pour évoquer *nos années d'enfance avec papa* dans ce même restaurant, Les Assassins, où les chansons sont restées les mêmes. Nous sommes liés.

Et puis le restaurant a fermé.

Inventaire n° 5.

Nous allons tous les week-ends à Souzy, une résidence de la République, où mon père aime se reposer, et qui sert à ça, justement : à ce que les présidents se reposent.

La presse se déchaîne et critique les astuces pour se soustraire à sa curiosité. Elle n'aime pas qu'on se moque d'elle. Plus elle fait pression, plus papa nous protège. Nous sommes les conséquences de son histoire d'amour. Quand il part en week-end, il ne nous laisse pas sur la bande d'arrêt d'urgence pour bien marquer la distinction entre sa fonction et sa vie.

Moralité. Il ne peut pas y avoir de frontière étanche entre l'homme public, les privilèges privés que lui procure sa fonction dictés par une contrainte de sécurité, et l'homme privé qui met tant d'énergie à préserver cette part de lui-même.

Papa réunit autour de lui le clan, des amis, le frère et la sœur de maman. Nous sommes en famille. À la campagne. Au potager nous ramassons les légumes du repas. Comme chez ma grand-mère. Nous nous promenons dans la forêt et le long des champs de maïs. À perte de vue. De grands carrés plats et verts. À poney je galope. Papa et maman

suivent, nos chiens sur leurs talons. La biche appri-
voisée se cache dans les fleurs. Mes chats successifs
tentent de sortir de la maison. Quand ils y arrivent,
ils se font manger par les chiens, devenus sauvages,
en meute. Deux morts. On me cache les corps. Ce
sont des jours de deuil. Nous mangeons beaucoup.
Au petit déjeuner, il y a des croissants à volonté.
Alors je n'en ai plus, de volonté. La semaine, c'est
tartines grillées pour ne pas jeter le pain. Il fait
chaud dans la salle à manger. On s'endort. Papa
retourne lire dans sa chambre. Je m'habille pour
sortir, monter à cheval peut-être, respirer. L'heure
du déjeuner approche. Après Starky et Hutch,
puis plus tard les Guignols de l'info, on se met à
table. Je suis assise à la droite de papa. C'est ma
place. Toujours. Près de la grande fenêtre. Maman
apporte les plats. Dans deux heures peut-être, nous
passerons à la bibliothèque pour le café et les cho-
colats. Les discussions s'étirent. Je ne tiens pas en
place. Bientôt je ne supporterai plus les repas du
dimanche. Les autres y sont heureux, je crois. Moi,
à quinze ans j'éprouve la mort. Elle colore mon adolescence. Les heures creuses s'approchent. Un jour,
je ne mangerai plus pour ne pas avoir à vivre l'après
du repas. Les uns dorment. Les autres se retirent
dans leur chambre. J'erre, seule, fébrile. L'après-
midi va vite s'achever. La nuit tombe déjà. Puisque
nous allons rentrer, les heures s'étiolent. Elles sont
petites et creuses, n'ont d'idée que de nous mener
à la fin.

Avec le week-end vient toujours le dimanche soir.
On range les devoirs et les chaussettes qui traînent.
On mange les restes. On ferme la maison. Dans une
heure elle sera vide. Dans quelques années, elle ne
nous connaîtra plus. Nous ne sommes pas chez
nous. Le lundi nous le rappelle chaque semaine. On

s'obstine à croire en une vie de famille éternelle, posée là, s'installant dans les murs. On voudrait bien que le temps s'arrête, que l'avenir n'existe pas. On sait que l'avenir ne passera pas par là. À quoi bon s'attacher.

Vite, partir et oublier. Ne plus revenir pour garder la main. Être celui qui refuse, et non celui qu'on rejette. La voiture démarre. Les chiens restent sur le perron, nous regardent, tête basse, allongés, ne bougeant plus. Ils ont compris, revivent l'abandon chaque dimanche, avec la même intensité. Je les suis des yeux jusqu'au dernier tournant. Un jour, je les abandonnerai pour de vrai, contrainte, ne pouvant les garder. Le portail se referme. Personne ne parle. Souvent, papa est parti avant nous. Pour dîner rue de Bièvre. Comme chaque dimanche. Il nous rejoindra après. Alors nous sommes seules, avec maman. Je ne lui demande jamais à quoi elle pense. Heureusement il y a les gardes qui brisent un peu la lourdeur.

Petits départs, petites fins, petites morts. Je connais la route par cœur. Les feux et les échangeurs. J'ai mal au cœur. Dans les embouteillages.

Le dimanche soir, je l'ai maintenant neutralisé.

Refuser les horaires, travailler pour soi, chez soi, pour que le lundi ne soit jamais la reprise du travail. Travailler le dimanche, aussi. Si pas de lundi, pas de dimanche. Ne jamais rentrer de week-end ou de vacances un dimanche. Ne jamais être seul.

Papa est présent avec nous jusqu'au dernier moment. Mais je sais qu'il sera présent là-bas, le temps qu'il y restera. Je ne l'imagine jamais. Lorsqu'il n'est pas avec moi, il n'existe plus. Maman, pour l'avoir tout entier, doit en contrepartie le partager. Et elle est jalouse. Ça tombe mal. Elle se fait une raison. Je ne rentre pas dans leurs affaires.

Parfois, il rentre avec nous. Sa voiture sent le cuir

et l'essence. Elle me rend malade. Il passe la main derrière le siège et attend que je lui donne la mienne. La sienne est chaude et sèche. Il caresse le genou de maman, puis replie son bras, ouvre un journal, ou ne l'ouvre pas. La radio est bloquée sur France Info, nous parlons peu. Je regarde défiler les banlieues. La Halle aux chaussures, le Buffalo grill, les hypermarchés illuminant la nuit d'une nationale éventrant d'anciens villages. Parfois papa discute avec Pierre le chauffeur ou me fait réciter mes leçons. Je déteste travailler en voiture. Mais il fallait s'y prendre plus tôt.

La voiture se gare. Mes membres sont engourdis. Je n'ai pas envie de sortir, monter les marches, ouvrir la porte sur l'appartement froid et sombre, ranger mes affaires dans l'armoire. Je me couche vite. Pas la peine de vivre les dernières heures. Passer à autre chose.

Lundi matin, je m'habille et me rends au lycée, assommée de tristesse. À mi-chemin, je quitte le souvenir pour entrer dans l'action. Tel un grand sportif, je me concentre pour affronter l'épreuve. Le malaise de mes jeunes années, ma difficulté à me lier sans me trahir.

Pour le reste, j'aime un peu étudier. Mais aucun cours ne me transporte. Je suis trop lourde pour être transportée. L'envol n'est pas mon fort. Trop de choses à porter, dont je ne laisse personne me délester.

Le matin, maman se lève toujours avant nous. Nous sommes du soir, elle préfère l'aube. Lorsqu'elle me réveille la table est mise. Papa et moi jouons de lenteur et de paresse. Chacun son tour dans la salle de bains. Souvent je me brosse les dents en même temps que lui, tandis que maman toujours plus pressée nous exhorte à nous dépêcher. Quand nous sortons, nous savons que nous partons vers des destinées différentes et irréductibles. C'est la séparation. Il n'y a aucune passerelle entre nos lieux de vie, le soir nous en parlons peu, la journée je ne pense pas à eux – sinon j'ai de la peine. Le portable n'existe pas. Et cela n'aurait rien changé. Papa un jour me raconte que la ligne de l'Élysée est à peu de chose près celle des boucheries Bernard. Souvent des faux numéros. Il répond que, non, il n'est pas boucher.

Papa et maman ne connaissent rien de mon existence au lycée, de mes cours, de mes camarades : j'y suis comme orpheline, déracinée, détachée de tout référent. Seule avec mes secrets et mon désir d'adaptation, avec aussi cette timidité et cette angoisse de l'autre, cette fermeture qui m'était une prison.

Longtemps je vais à la cantine. Je ne peux pas rentrer à la maison entre midi et deux, il n'y a personne et je n'ai pas plus envie de m'y retrouver seule, sans pouvoir inviter de copine. Aucun de mes amis ne va à la cantine. Je m'y sens encore plus seule, déjeune avec des gens que je n'aime pas, mes « sous-amis », ceux que la nécessité octroie et que je salue à peine une fois dans la cour de récréation. Il y a de ces distinctions et de ces prétentions enfantines... Au self-service, certains crachent dans les carafes, ou y lavent leurs pommes. Ça me dégoûte. Je n'ose rien dire. Fais pareil. Le riz dure une semaine. C'est le même, réchauffé. Il n'est déjà pas bon le premier jour. Les bouchées à la reine parviennent à être sèches et dégoulinantes à la fois. Je n'y touche pas. N'y toucherai jamais. Aujourd'hui, il faut me payer cher pour manger dans une cantine.

Personne ne voudrait dépenser son argent aussi bêtement. Je reconnais l'odeur d'une cafétéria bien avant la porte d'entrée. J'y ai passé trop de temps et d'indigestions. Enfin mes camarades reviennent de leur déjeuner familial, et la vie reprend.

Je rêve de ces appartements bourgeois où attendent une mère et un repas. Maman a la passion de la fonction publique. Il n'est pas question que j'échappe à aucun de ses privilèges. Le mercredi après-midi, je suis inscrite à tous les sports collectifs. J'aurais préféré regarder la télévision avec mes copines. Mais j'aime aussi la compétition et les frites grasses. Plus tard, je demande à maman de me donner vingt francs pour déjeuner, et achète une tarte aux épinards et un flan, que je mange avec mes vrais amis dans la rue ou au bistrot, commandant un café. Les vingt francs sont vite dépensés. Je me sens libre.

Il y a le jour et le soir. Et ces deux mondes ne communiquent pas. Dans l'un je me sens abandonnée et peureuse, d'autant plus fière, presque hautaine. Dans l'autre, je suis protégée, mais prisonnière.

Inventaire n° 6.

Ma première cassette audio et mon premier grand film. Les DVD et les CD n'existent pas encore. S'ils avaient existé, nous n'en aurions rien su. Avec ma première cassette est apparue ma première chaîne. Papa a parfois des fantaisies. Il offre un lecteur de cassettes VHS, ne saura jamais s'en servir, et si nous n'avons pas de cassettes, tant pis. Il faut suivre les progrès technologiques. Quelqu'un lui en aura parlé. Je me débrouille pas mal pour comprendre les instruments à boutons en anglais. Je tapote, je trouve la solution, je suis fière, on a besoin de moi à la maison si l'on veut regarder un film. C'est rare, à chaque fois je réinvente le mécanisme. Mon empirisme a l'intuition du rationnel. Mais ça ne m'intéresse pas tant que ça. Il me faudra rédiger un mémoire pour commencer à aimer les ordinateurs. Et m'en tenir au traitement de texte. Le plus beau cadeau de papa pour maman : son Toshiba portable, parmi les premiers. C'est utile, alors elle sait dire merci. Maman est douée aussi pour ce qui peut lui servir. Elle a appris à taper à la machine quand elle était jeune. Les filles à l'époque devaient connaître les humanités ; coudre, et les rudiments du secrétariat. Ce n'était pas peine perdue : elle a tapé tous les discours et livres de papa, recousu mes chaussettes.

La pop-musique m'est réservée. Maman n'en écoute jamais, papa peut-être, puisqu'il connaît les chanteurs à la mode. J'écoute la radio dans la voiture des gardes. Au lycée, les filles ont des Walkman pour entendre la musique. Je ne sais pas pourquoi elles achètent cet album plutôt qu'un autre. Je ne connais ni les titres ni les noms. Je dois faire semblant d'appartenir à leur monde. Qui me fascine. Pour les vêtements, c'est pareil. Maman m'a toujours acheté mes habits. Ça me démarque. Je suis moche. Plouc. Les autres paradent en Agnès B. C'est cher, je sais, mais pourquoi pas moi. Les bourgeoises du VIe me font envie. Elles ont l'art de se mouvoir avec naturel. Sont élégantes sans y penser. Je dois trouver mon style, mais aussi faire comme les autres. Je m'en démarque trop pour ne pas en avoir envie. Toujours se fondre dans la masse, accéder à l'anonymat en étant à la mode. Mais, en les imitant, j'ai l'impression de trahir maman. Je rejoins le goût des autres, tends à appartenir à mon époque, et donc plus à la sienne. Bientôt, c'est moi qui l'habillerai, mais alors, je saurai exactement quoi acheter. Pour elle, pour moi, et même pour papa. Je dribblerai avec la mode, y trouverai ma place. J'écouterai la musique qui me plaît, même si elle ne plaît pas aux autres.

Pour l'instant, je découvre la possibilité d'avoir de la musique à moi, que je peux écouter à loisir. Et bientôt un baladeur blanc, de mauvaise qualité, mais qui ressemble à la liberté. La liberté est d'abord une manière de ressembler aux autres, moi qui viens d'un monde qui n'existe pas. Elle est fausse, je le sais un peu, mais elle est excitante. Il y a de la transgression, je rêve sur des chansons en sachant que je m'éloigne de mes parents pour faire partie d'une jeunesse qui leur est étrangère. Il est temps que je rattrape ma génération, mais je ne veux pas les faire mourir plus vite. J'ai trop de responsabilités, c'est aussi pour ça que je leur dis « je t'aime » deux fois avant de m'endormir. Une fois pourrait nous nuire. Pour ne pas leur révéler le secret, je le répète à voix basse. Je les protège. Lorsque je mens, ou ne dis rien, à ceux qui me questionnent sur mes dimanches ou mes soirées, je n'ai pas même besoin de croiser les doigts, il y aura toujours des nœuds dans mes cheveux qui me défendent du mauvais sort. Une organisation compliquée me permet d'être des deux camps sans trahir ni les uns ni les autres. Dans mon cœur, c'est moins clair. La cloison est inébranlable, la déchirure en œuvre. J'essaye de devenir sans abandonner. Pour que ça ne passe pas par une rupture, je crée des équilibres. Plus je quitte mes parents, plus je les emmène avec moi, comme des grigris, de petites âmes dont je suis en charge. Ma vie est très fatigante.

Donc j'écoute de la musique, et je laisse libre cours à mon imagination, de plus en plus adolescente. Chaque chanson continue le feuilleton qui m'endort le soir. Il y a une femme et un homme, tous les deux très beaux et très amoureux, qui s'affrontent. La passion n'est jamais plus belle que sur de la pop-musique.

Ma première cassette, je la demande à papa : Laura Branigan. Lorsqu'il me tend le sac plastique, mon bonheur est étonné. Parce qu'il ne m'en rapporte pas une, mais deux. La musique des autres va commencer à m'appartenir. Et ne plus appartenir aux autres. Je l'admire, sur la pochette, l'épaule dénudée, un pull rose en mohair – j'aimerais avoir le même –, le visage arrangé, je sais qu'elle est moins jolie en vrai, mais sa voix me rend son physique indifférent.

Mes cassettes durent. Je n'ai pas encore compris le temps de la mode. Elle me dépasse avant que la même musique en boucle m'écœure. J'ai bientôt plusieurs cassettes et chacune a sa place, son prix. Je ne suis jamais allée dans un magasin de disques. Ni moi ni maman n'en aurions l'idée. Les cassettes entrent dans ma chambre comme par magie. Je demande à papa, un jour, elles arrivent. Il faut vite dire merci pour aller s'enfermer dans la pièce et l'écouter avant l'heure du dîner.

Puis je trouve dans les affaires de la fille de Laurence, qui nous a laissé l'appartement, une pile de disques vinyle. Sa fille est morte à dix-huit ans. Il y a les Stones, des collectors, dont je ne suis pas encore à même de juger la valeur. Je m'arrête plutôt sur France Gall que maman déteste parce que papa l'aime un peu trop. Mon tourne-disque est pourri. Il ressemble à un jouet d'enfant.

Plus tard, j'aime les Béruriers noirs, Renaud, Madonna dont je deviens une groupie parfaite.

Papa me fait un jour découvrir Sydney Bechett, qu'il a entendu dans une boîte de jazz lorsqu'il était jeune. Une nuit entière à swinguer avec ce jazzman qui lui a laissé un souvenir dont je ne saurai rien d'autre.

Les rares disques qu'on peut trouver à la maison, ceux qu'écoutaient mes parents quand ils étaient jeunes : Léo Ferré chantant Aragon. Brel, Barbara. Ils ne sont pas de la culture Brassens. Je l'aimerai passionnément quand je vivrai à Aix et à Marseille.

Quant à la musique classique, si maman se rend régulièrement à l'opéra, les grands compositeurs ne passent pas le seuil de la maison. Parfois elle m'y traîne. Je sais qu'il y aura des petits-fours à l'entracte, alors je me laisse convaincre.

Je joue de la flûte à bec sur le porte-bagages du vélo de maman pour remplacer la radio. Jamais elle ne freine brusquement, la flûte s'enfonçant dans ma gorge et me tuant sur le coup. Un jour, je prends deux heures de cours de piano avec une vieille fille méchante, et des petites filles blondes et douées. J'abandonne, le solfège est trop laborieux.

Bien sûr, il y a aussi Barbara. Papa l'admire, maman redevient peut-être une jeune fille quand elle l'écoute. Nous nous rendons à deux de ses concerts au Châtelet. Assis dans la tribune d'honneur, face à la scène, nous contemplons cet être fragile, vêtu de noir, à la voix bouleversante. Elle a l'air d'être seule. Sur scène et au monde. Nous la retrouvons dans sa loge, après sa performance. Je sais qu'elle a chanté « Un homme, une rose à la main... », mais cette histoire n'est pas la mienne. Cela ajoute à son mystère. Maman et moi nous cachons derrière le dos carré de papa, qui d'un coup n'est plus seulement papa. Nous sommes intimidées, excitées aussi. Elle nous saluera, peut-être sans nous voir. Nous voyons tout. Elle, lui, nous en invisibles personnages, dans une présence gênante, lourde et illusoire. Nous avons la place que papa veut nous donner, un soir, mais elle n'existe pas. Il faut faire avec. Nos corps maladroits qui voudraient se faire oublier, et notre curiosité malgré tout. Papa transgresse la frontière, mais il s'agit d'une artiste, alors c'est moins grave, c'est même jouissif pour lui. À chaque représentation théâtrale, il profite de ce

moment officiel-officieux, pour jouer de ces trans-
ferts. Il me présente comme Mazarine, « qui apprécie
beaucoup ce que vous faites ». Je rougis. J'ai honte
de la fierté de papa à me montrer sans me présenter
complètement, de l'indifférence naturelle des artistes
qui veulent lui faire plaisir en m'adressant un sourire.
Je suis heureuse aussi de pouvoir leur serrer la
main, groupie mais pas tout à fait. Certains, rares,
se rappelleront plus tard avoir été présentés à une
petite fille dont ils se demandaient qui elle était.
L'énigme s'éclaircira.

Papa n'a pas toujours très bon goût, maman
compense largement. Elle n'apprécie pas seulement
l'éclectisme du XIXe siècle dont elle est « la spécialiste mondiale », dit papa quand il la présente. Un
léger agacement passe sur son visage.
Elle sait que les productions de ce siècle peuvent
être lourdes, malheureuses. Elle a choisi cette période
par obligation, personne n'en voulait. La sculpture
de Rodin et Pompon n'est pas si insupportable.

Papa aime les artistes sans discrimination. Il suffit
que le chanteur lui plaise, soit gentil ou émouvant,
sa musique est le bonus qui fait partie du package.
Si un peintre lui offre un tableau, lui expliquant à
quel point cette œuvre lui est chère, il propose de
l'accrocher dans le salon. Maman sursaute, refuse
avec un léger mépris, lui fait un peu de peine. Il se
rend à l'évidence, sans trop l'avouer, quand même.

Il s'intéresse aux gens avant de comprendre leur
art. Sauf en littérature. Les écrivains l'attirent, mais
il préfère leurs livres. La lecture est sa deuxième vie.
Un temps incompressible. Il lit indifféremment des

ouvrages historiques, des romans et des policiers, comme il a des amis de diverses origines, âges, et qualités. Il passe sur leurs défauts.

Nous allons peu au cinéma. C'est difficile. André Rousselet nous invite parfois à Canal, ou Robert Badinter à la Gaumont, à Neuilly, dans une salle privée où nous reçoit Nicolas Seydoux. Après nous allons dîner tous les cinq, papa, maman, Élisabeth, Robert et moi, dans un restaurant où nous sommes tranquilles, en famille. Ils parlent du film, me demandent mon avis (je suis une adulte comme eux) à moins que je ne pérore, péremptoire (dans ma période je sais tout, qui dure assez longtemps). Les profiteroles sont bonnes, ma gourmandise n'a pas de limites avant que j'arrête de manger. Je suis une petite fille précoce, des seins m'encombrent au-dessus d'une taille fine, je suis grande pour mon âge ; bientôt les autres me dépasseront. J'ai l'air d'une femme. Je suis terriblement enfant. En attendant mon corps me gêne, je le nourris jovialement, les kilos m'importent peu, je ne suis pas grosse, pas maigre non plus, ça n'a pas d'importance, je ne me trouve ni belle ni moche, même si je passe beaucoup de temps devant la glace. Ce n'est pas pour cette raison, je cherche bien des poses avantageuses, mais il faut surtout que je reste présente. Je suis mon compagnon le plus proche, pas mon amie. J'imite mon père, fais des grimaces, puis ouvre les yeux, tends la bouche pour ressembler à Isabelle Adjani. C'est mon actrice préférée. Les gentilles personnes disent que j'ai des airs, de loin. J'en suis ravie, même si les compliments me dérangent. Je sais que ce n'est pas vrai. Que c'est pour faire plaisir à papa.

Plus tard, je le traîne à l'Entrepôt pour voir *À la conquête de Clichy*, c'est un des rares films que nous voyons « dehors » et ensemble. Je ne sais même pas que les salles ont appartenu à son neveu, Frédéric, que bien sûr je ne connais pas. Je suis fière de lui faire découvrir des choses, c'est encore possible, mon âge m'offre un monde dont il ne connaît pas tous les codes. Nos escapades ont un goût d'aventure.

Madame Butterfly est l'un des derniers films que nous voyons ensemble.

Et puis, il y a la télévision. Le cinéma des prisonniers, le monde qui s'invite chez ceux qui n'ont pas de dehors. Papa et moi avons les mêmes goûts populaires et faciles. Nous aimons surtout voir revenir, parfois ressusciter, les héros hebdomadaires de Dallas et Dynastie. Je ne suis pas encore sectaire ni élitiste, comme vous apprennent à le devenir les grandes écoles. Je ne le serai jamais vraiment. Les grandes écoles m'ont toujours irritée. Je n'aime ni les clans ni les mépris. Les artifices ou les définitions.

Inventaire n° 7.

Longtemps, je dessine des vêtements pour mes poupées. Je m'entraîne pour mon métier à venir. Je serai styliste, un crayon à la main au milieu de taffetas. Déjà, le désordre me plaît. Je découpe des mannequins en carton, colorie les cheveux, allonge les silhouettes. J'aime, dans les habits, les trous et les choses compliquées, les mitaines et les lamés. Un jour, papa me ramène mes planches de croquis plastifiées. Ça ressemble à une brochure, ça fait vrai. Je suis fière. Quand je serai une grande créatrice, je les montrerai à mes collaborateurs ou aux journalistes, ils souriront de ce talent précoce, de cet acharnement.

Bien sûr, ces planches ont disparu.

À mes heures perdues, j'écris de la poésie que je lui fais lire. Je n'ai peur de rien, pas de son jugement en tout cas. Il s'agit beaucoup de paysages et de nuits étoilées. Des ambiances de retour, des trajets en voiture, sur fond de radio. La chanson française m'inspire, le ronronnement du moteur aussi, je traduis les premières vibrations d'un corps ignorant de son sexe. Cela donne des clairs de lune tristes.

Le plaisir n'est pas dans le résultat. C'est le contact du stylo et la douceur du papier qui me plaisent, le geste qui ponctue un mouvement d'autres organes. Quand les mots ne viennent pas, je peins ou dessine. Une artiste, quoi.

L'une de mes œuvres sauvée des déménagements est accrochée dans la salle de bains de Gordes : *Joie et tristesse*. Des taches sombres d'un côté, claires de l'autre. D'habitude je ne cède pas aussi facilement au concept, ni au désir d'être originale. Vouloir impressionner, ça donne des couleurs sombres – tristesse – d'autres gaies – joie. J'ai l'imagination débordante. De ce qui pourrait impressionner. Mais ce premier pas vers l'abstraction est chargé d'avenir. Bientôt je ne prendrai plus la peine d'utiliser mes mains, l'architecture mentale me prendra trop de temps.

Maman aurait dû être professeur de dessin. Reçue au concours, elle n'a pas lu son nom sur la liste. Elle me le raconte avec fierté, ou soulagement. S'est rattrapée en comblant mon enfance de dessins à colorier, cartes postales pour travaux manuels et soirs d'été. C'est qu'elle a aussi été monitrice de colonies de vacances. L'art dans la famille est un regret. Le regret ne doit pas rester injustifié. Maman est devenue conservateur de musée, elle a laissé son talent aux autres, préférant les archives au risque de créer. Il ne faudrait pas laisser d'espace à la médiocrité.

Je suis peut-être la seule à savoir qu'elle a du talent.

En Provence, après-midi de travaux manuels. Maman nous achète du papier, des crayons, de la terre. Papa et moi autour de la grande table, les manches retroussées. Il enfonce la mine dans la feuille, accentue le trait. Un visage à la Daumier finit par apparaître, des profils uniquement, nez allongés et cous tremblants. J'esquisse avec moins de détermination et plus d'habileté, je m'essaie moi aussi sur des nez, le sien. Il faut attraper la bosse, puis la pointe. À la dixième tentative j'y arrive, mais il faut que les yeux suivent, le menton, la forme du crâne. Des papas difformes, des papas fragiles, des papas monumentaux. Tous lui ressemblent, un air de famille. Il est facile à caricaturer. Je veux trouver mon style personnel, Plantu ne sera pas mon maître. Il aime poser, a l'habitude, l'horloge sonne, jamais à l'heure. Quand j'ai fini, il dessine des chiens, au museau pointu. Il est réfractaire aux formes rondes. Ce qu'il aime, ce sont les angles. La terre est humide. Sur des papiers journaux nous en détachons des blocs. Je modèle une tête de femme lisse, ressemblant à Néfertiti, il sculpte deux visages d'homme tourmentés, le pouce enfoncé dans la matière. Ils sont toujours là, sur l'étagère, des Giacometti réinventés.

Ses lunettes carrées et noires, son air concentré mais jamais absent, ses journaux, l'étui en cuir patiné par le temps, son tweed légèrement parfumé – Charvet et foin, l'intérieur de sa Roméo qui sent le chien et le bois de santal, ses chemises douces en laine, et celle de coton bleu pour dormir, sa robe de chambre, encore accrochées à la patère... ses pantalons à grosses côtes, ses chapeaux de paille, ses chaussons de cuir et plus tard les chaussons pourpres rapportés de Venise à la semelle en pneu de vélo. Ses cannes aussi, qui ont toutes une histoire, disparue en même temps que lui.

Inventaire n° 8.

Souzy, encore, périphérique, porte d'Orléans, et la campagne. Le week-end. Madame Do prépare un repas vietnamien, il lui demande des nouvelles de ses ancêtres chinois – ses bourreaux. Elle rit. Il aime rester à la cuisine, assis à la table à discuter, ne met jamais la main à la pâte, mais sa présence est comme un fumet délicat. Il boit un verre d'eau, plus tard, quand il sera malade, je le surprendrai à se servir un Coca. Le tableau est invraisemblable. En fouillant ses archives, je trouve une invitation de G. Bush père à la retraite, qui profite d'un week-end à Eurodisney avec ses petits-enfants pour convier papa à déjeuner au palais magique de Cendrillon. Je crois, non, je suis sûre qu'il a décliné l'invitation. Mais la proposition est surréaliste. Déjà avec son Coca, je ne le reconnais pas, un enfant. Il va même jusqu'à porter une casquette. Lui, si peu américain.

Viennent les apostrophes glorieuses quand on sert le dessert : « Elle est belle ma fille », « Elle a eu une bonne note », « Je crois qu'elle est douée en littérature », « Elle a gagné le prix d'éloquence » : tout le monde obligé d'acquiescer. Moi, insolente,

« Arrête, on ne va pas dire le contraire si c'est toi qui le dis »... Mais il ne renonce pas. André trouve que je suis une enfant gâtée. Il a raison, c'est mon gage de normalité.

Tous les dimanches matin j'entre dans la chambre de mes parents. Maman est déjà en bas, prépare le petit déjeuner, papa lit, adossé à deux coussins. Je m'assois à côté de lui, bougonne. On discute. Plus de la vie que de la nuit. On ne se raconte pas nos rêves. Je lui demande mon avenir, tu crois que, tu crois que. Il réfléchit, oui, tu y arriveras, car tu as de la volonté. La volonté est à la maison la vertu la plus digne d'intérêt. Puis des questions plus pragmatiques : tu me trouves grosse ? Il me fait tourner sur moi, réfléchit. Impatient : « Bien sûr que non. » Joueur : « Ça va encore, mais » « Mais quoi ? » « Bien sûr que non », parfois « Tu as un creux entre les jambes, trop maigre. Les femmes ne doivent jamais laisser passer de jour. » Il a l'air de s'y connaître. Mais peut-être qu'il les aime à l'ancienne, école Renoir. Je ne veux pas être un boudin. Je le relance : « Pour de vrai ? », il finit par être agacé : « Il te manque juste trois centimètres », me montre la distance entre ses deux doigts. Je suis vexée, « C'est de ta faute ».

En Auvergne, il m'invente un concurrent : lorsque je m'entraîne au saut en longueur dans leur chambre, à la fin de la sieste. Papa mise tout sur « Mathurin », bien plus fort que moi. Je veux le battre, il a toujours une longueur d'avance. Et la confiance de mon père. Jalousie. Mathurin et ses performances m'exaspèrent. Je suis aussi mauvaise joueuse que papa. J'attends le soir pour me venger au Boggle. Je suis imbattable, seul papa parfois parvient à emporter une partie, de moins en moins, les autres assistent impuissants à mes victoires sonnantes. Mathurin est oublié. J'aime les mots, aucun ne m'échappe sur l'échiquier des lettres. Bien sûr, c'est mon jeu préféré.

Restent le tennis et le ping-pong, papa ne lâche jamais prise. Son style ne laisse pas présager qu'il puisse me vaincre, ni moi ni personne d'autre, et pourtant. Le jour où je gagne, il est furieux et fier, plus furieux que fier. La compétition, c'est notre manière de jouer.

Papa a la manie du téléphone. Dès que je m'absente quelque part, dors chez une petite copine, passe des vacances chez des parents, une tante, il connaît le numéro par cœur, et m'appelle deux fois par jour. C'est agaçant.

À Gordes, il passe ses matinées au lit, à lire et à téléphoner. On ne lui pose pas de questions. Parfois j'entre et sors de la pièce, entends des bribes de conversation, n'écoute pas. Le respect de l'univers des autres est un pacte tacite. Ma curiosité en est morte. Si l'on ouvre une enveloppe qui ne nous est pas adressée, on s'excuse solennellement.

Papa aime savoir où tout le monde se trouve, comme un berger qui rassemble ses brebis. Il reste le centre, où qu'il soit, un centre partout et nulle part. Je ne sais pas s'il a lu Giordano Bruno.

Le quotidien n'a pas beaucoup d'exception. Il m'arrive d'inviter une petite amie chez moi. Alors c'est la fête et les parents perdent de leur importance : j'ai importé mon monde dans le leur, un espace magique s'ouvre, je redeviens enfant. Parfois papa est en voyage, maman lui en veut forcément :

il a emmené une autre femme, la sienne, celle dont il n'a pas divorcé bien qu'ils ne vivent plus ensemble. Réflexe bourgeois, son éducation chez les pères d'Angoulême. Ma mère a de l'orgueil. Elle lui raccroche au nez tous les soirs lorsqu'il téléphone, triste et désolé. Je décroche puisqu'elle ne le fait pas. Lui explique, désolée à mon tour.

Il rentre, et met deux jours à la dérider. Puis la vie reprend. Lorsqu'il n'est pas là, je suis du côté de ma mère (je l'ai pour moi toute seule), lorsqu'ils sont fâchés, je suis du côté de mon père. Dès qu'ils se réconcilient, je retourne à mes cassettes et à mon téléphone.

Un jour, je dois avoir quinze ans, je prends mon vélo pour traverser la Seine et me rends seule au cinéma. Les *Doors*, d'Oliver Stone. Je suis fan de Jim Morrison. C'est mon premier rendez-vous amoureux. Je suis grisée par tant de liberté. Que je m'autorise, puisque personne ne m'interdit rien. Lorsque je ressors, je trouve les pneus de la bicyclette crevés. Vexée, je fais le chemin du retour à pied. Je ne renoncerai pas pour autant à mes escapades, mais il faut avouer que le monde extérieur ne me veut pas de bien.

J'ai une amie heureusement, la plus belle, la plus profonde. Elle a fait quelques tentatives de suicide, elle ne s'aime pas, et moi je l'aime. Désormais j'ai ma vie à moi, pas juste dans l'entre-deux.

Inventaire n° 9.

Hossegor. Les premiers jours de juillet ressemblent à des concours de sable et des bains de mer, des rêveries salées et des dîners familiaux, des escapades à vélo à la recherche d'une glace et d'un regard.

Je rentre du club des Pingouins, épuisée et heureuse, ramenant des bons points – au bout de dix un Carambar –, des futures caries, des disputes, des amies. Ma cousine et moi sous la douche, bientôt ensablée, il faut se rincer les pieds avant, avec le tuyau d'arrosage, ah oui mais elle est bien trop froide, j'ai faim, j'ai soif, j'ai gagné le concours de Tarzan, c'est mon préféré, évidemment c'est le seul où je gagne, ma cousine est meilleure au jeu des bouteilles, ce qui m'exaspère, elle n'est même pas adroite, mon oncle a organisé un concours de saut en longueur devant la maison, je suis toujours partante, il est habile, nous fait croire que nous sommes très douées, je lui accorde ce crédit. Grand-père fait fondre les glaçons sur la terrasse, on calcule leur temps de survie. Il plante ses mégots sur les aiguilles de pin, qu'il accroche, guirlande, au cyprès, le feu ne prend jamais, mais la peur de grand-mère... Bientôt je vois arriver en courant ma chienne, Baltique. Mon père ne doit pas être loin. Zut. Les jeux s'arrêtent. Enfin, va lui dire bonjour. Ma grand-mère est atterrée, vraiment, par mon impertinence. Mais là, c'est vrai, il nous interrompt. Est-ce que je n'ai pas le droit de ne pas avoir envie de le voir tout de suite ou tout court ? Ma mère est heureuse pour dix, ça devrait suffire non ? Ils ont sorti le saucisson et le porto. Je m'assois sur ses genoux, impatiente, bats des pieds sur ses tibias. Il est un peu triste c'est vrai, mais, bon, les autres m'attendent en bas. Il me relâche, mais c'est trop tard. L'après-midi est fini. Allez vous changer les enfants.

Parfois, je monte dans sa Rodéo pour aller jusqu'à la « plage blanche », déserte à cette heure. Elle est à cent mètres de la maison, mais papa adore conduire et en a si peu l'occasion – c'est un danger public. Baltique monte à l'arrière, plus habituée que moi à la conduite saccadée. Nous rentrons, heureux, d'avoir « fait de la voiture » comme on fait du manège. La maison de ma grand-mère investie par une armée subite se vide à nouveau dès que la Rodéo suivie d'une grosse voiture blindée démarre, ma mère nostalgique sans doute, et moi gaie de revenir aux camarades de mon âge.

Les Pingouins, toute la famille y est allée, mes oncles, mes tantes, excepté ma mère, qui déjà préférait aux activités collectives, sa solitude. M. Pingouin est devenu un ami, c'est son fils qui s'occupe du club. J'enrage de ne plus avoir dix ans. Jusqu'à quatorze, j'espère encore qu'ils m'acceptent, mais toute seule dans ma catégorie, ce n'était plus possible, gagner contre personne, ce n'est plus drôle. Et puis il a fallu partir dans les pays étrangers pour apprendre les langues, dans l'enfance des autres, ma cousine est fille au pair, je fais les boxes dans une colonie pourrie. Nous sommes séparées. Si c'est cela devenir grand, pas la peine, je refuse. Mais plus personne ne va chez ma grand-mère. Je m'acharne, invite des amis, reconstruis tout à l'identique. C'est trop tard, le charme est passé. Les boîtes de nuit de province n'auront jamais la beauté des concours de sable.

Désormais, ce sont des creux : avant le repas, après la rêverie, loin du concours de sable, un bref plongeon dans la piscine, plus personne ne s'éclabousse, je ne mange plus de glace, n'aime pas et puis ça fait grossir. Le temps n'est plus qu'une large conscience, avec parfois des pauses-café.

Inventaire n° 10.

Papa nous invite à déjeuner à l'Élysée, maman, moi, des amis, dans les jardins ou les appartements privés. C'est rare, et toujours amusant. Je ne sais ce que pense le personnel, me voyant débarquer. Le sourire de mon père, l'espièglerie aussi, notre sentiment de tromper l'ennemi, de voler une heure sur le temps social, d'envahir les lieux qui ne m'appartiennent pas, où je passe en petite souris, la peur de dépasser la porte qui ouvrira sur le monde officiel de la République, le plaisir de passer à travers, de se cacher au cœur même de ce lieu de pouvoir. Papa me demande toujours ce que j'aimerais manger ; je suis à la fête, je peux commander n'importe quoi, il suffit que cette liberté m'échoie pour que j'oublie mes goûts, mais peu importe. Je me sens là comme une cambrioleuse, et mon père prend plaisir à la provocation. Ce sentiment me plaît.

Souvent, c'est qu'il fait beau. La table est dressée dans le bosquet, et, moi, je vais voir mon père à son bureau. Le bureau de papa. Là où il travaille. Pas de collègues. Juste plein de monde que je ne croise pas, ou par hasard, ou parce que papa a envie, comme ça, de me présenter. Des visages que je reconnaîtrai plus tard, à la télévision. Pour le moment, je ne sais rien sur personne, d'ailleurs ça ne m'intéresse pas. Les gens qui travaillent au bureau de papa ne me connaissent pas. Parfois ils voient passer une jeune fille en jeans, qui semble étrangement familière mais dont personne ne sait le nom, ou peut-être... mais ce ne sont que des rumeurs. À l'Élysée, les rumeurs vont bon train. Et celles sur le président courent plus discrètement que les autres.

Je dis bonjour, souris, tente de rester invisible, intruse et amusée. C'est ici chez mon papa, mais vous ne le savez pas. J'aimerais bien qu'on le remarque, et j'en ai peur.

Et puis il y a les autres habitants de cette ruche compliquée. Les cuisiniers, les gardes du corps, les secrétaires. Avec eux, je me sens plus à l'aise, presque chez moi, non, au bureau d'un père que sa fille vient visiter un mercredi après-midi parce qu'elle n'a pas cours.

Mon itinéraire ne passe pas par la salle des fêtes. Pour moi, c'est plutôt les couloirs, l'escalier de service, la petite porte qui s'ouvre sur la cuisine, puis celle sur le jardin, dans le coin officieux, derrière les arbres, que le soleil transperce. Je vais dire bonjour à Didier, un marin cuisinier, soulever les couvercles des casseroles, demander à Richard, qui m'accompagne et retrouve ses collègues, où se trouve Baltique, jouer un peu avec elle. Plus besoin de me cacher, ici, les secrets sont gardés, c'est même une profession. Et puis je m'entends bien avec eux, gendarmes, policiers, nous avons été élevés ensemble – quasiment. Une sorte de clan.

Je suis seule encore, les autres ne sont pas arrivés. J'ai le temps de voler des amandes et pistaches. On me propose à boire, mais je n'ai pas d'idée. Je m'assois sur la table de la cuisine et discute. Des pas dans l'escalier, un chien noir, c'est Baltique qui me saute dessus. Papa doit la suivre de près. Cette chienne aime tout le monde, mais nous deux encore plus. Les gardes saluent mon père, soudain très respectueux. Je l'embrasse, tout à coup petite fille. Il pose quelques questions à Didier, puis à Richard, personne n'est oublié, tous ceux qui sont là assurent qu'ils vont bien. Nous pouvons sortir, la chienne nous a devancés. Nos amis sont arrivés. Le cercle intime, qui peut passer par la grande cour, mais connaît aussi les appartements privés. Le vélo de maman a été signalé à la porte d'entrée. Laquelle, je ne sais pas. Je ne me demande jamais par quelle voie elle entre dans ce monde refusé. Ni quelle figure elle fait lorsqu'elle doit décliner son identité. Pour moi, c'est plus simple, les gardes m'amènent en voiture, je détourne mon visage lorsque les regards se tournent à l'intérieur. On les connaît là-bas. Ici comme ailleurs je me montre le moins possible.

Mais une fois à table, je redeviens le centre. Capricieuse, mal élevée, je coupe la parole, me lève quand les adultes discutent trop longtemps, ne tiens pas sur ma chaise. Enfant roi dans un royaume de carton, d'un coup de baguette magique il disparaîtra, j'en serai soulagée. L'Élysée, exotisme excitant, mais on s'y ennuie vite. La clandestinité est un jeu amusant, mais je la connais trop pour y trouver seulement du plaisir. Au-delà des murs, la liberté, mais ces murs ont pris racine dans mon corps, il ne se sent libre nulle part. Lorsque je sors de l'Élysée, je me cache sous le siège. Je détesterais qu'on me surprenne. Je n'ai pas commis de vol pourtant, mais le sentiment d'imposture partout me poursuit. J'ai fait plaisir à papa, maintenant, je change de peau. À quelques rues de là, je peux relever la tête. L'anonymat me convient mieux, mais il pèse deux cents tonnes. Bientôt je maigrirai pour disparaître. Mes os seront encore trop lourds, les déjeuners plus difficiles, manger, encore manger. On ne fait donc que cela, à l'Élysée ?

Inventaire nᵒ 11.

Je monte à cheval. Tous les week-ends, près de Souzy. Ce que j'adore, c'est la compétition. Le matin, à sept heures, je sors pour me rendre au club, préparer le cheval qui m'a été attribué, une carne dangereuse qui saute bien mais n'a pas d'équilibre. Plus tard, papa m'offrira un poney, et je serai sagittaire, un seul corps formé avec ces muscles bruns, promenades et sauts, mon corps et mon âme agrandis par cette amitié teintée d'amour et de peine, une rééducation sentimentale et physique.

Dans le club, les écuries s'éveillent. Des bruits de naseaux et de sabots sur le pavé. À la maison, maman est peut-être descendue nous préparer un thé. Quand je suis partie, elle était remontée dans sa chambre, sur la pointe des pieds. Les haleines fument, et la brume blanche pèse encore sur les champs. Je suis seule au monde, seule dans l'odeur du foin, à me réchauffer les mains sous la crinière du cheval, en tenue de concours, ces chaps que j'ai achetées amoureusement, une veste noire et des gants blancs. Je brosse, je peigne, je selle. Mon cœur bat de voir les chevaux commencer à s'entraîner à la chaîne au paddock. Bientôt ce sera mon tour. Le jour se lève peu à peu, la campagne est glacée, des rafales de vent que très vite je ne sentirai plus, concentrée sur mon trot. Depuis quelque temps, j'ai peur. C'est un sentiment que je garde loin de moi, inutile sur un parcours, qui permet le soulagement après. J'approche du paddock, droite, le regard dur. J'échauffe mon cheval. Deux gardes du corps m'ont accompagnée, ils ne doivent pas être loin, j'oublie ce qui m'entoure, le galop du cheval m'occupe tout entière. Un premier saut, un croisillon, qui se passe bien. Mon tour approche. J'ai réussi à me mettre en retard. Mon cœur saute dans la cage thoracique, il fait mal. Mal aux mains aussi, les doigts rouges repliés sur les rênes. Quelqu'un a mis un auxerre, entre deux chevaux je lance ma monture sur les deux barres, imposantes, lourdes. Le sol est humide, les sabots s'y enfoncent. Une, deux foulées, je n'ai pas eu le temps de calculer, la dernière est mauvaise, le cheval s'élance, déjà j'entends ses pattes se prendre dans le bois, un imbroglio, et tout se fracasse à terre. Je mange le sable, des cailloux dans la bouche, le goût de la terre meuble et du sang, mon visage insensible à force d'avoir mal. Le cheval se relève, à côté de moi, évite de m'écraser, le temps s'est arrêté. Je regarde le ciel, plus froid que tout à l'heure, froid, dur, mon corps immobile, le son du choc encore dans mes oreilles, un son brut, étouffé et mat, ma tête est de pierre, de sable, de terre, mon nez rejette les cailloux, le sang, ne pas le toucher, il est gros, le visage a doublé de volume. Bientôt on accourt, Henri, le garde du corps, refuse qu'on m'emporte sur le brancard brinquebalant, il exige une civière « coquillage », qui tient le dos en cas de brisure de colonne vertébrale. Je ne veux rien savoir. Bouge tes pieds, tes mains, pourquoi, pourquoi est-ce que je ne pourrais plus les bouger ? fastoche, regardez, petits doigts engourdis mais gaillards. Dix minutes, une éternité, la sirène des pompiers. Un quart d'heure, maman arrive, le visage figé. Les mains glacées qui prennent les miennes. Assise dans l'ambulance, elle me rassure. Où est papa ?

Les ambulanciers sont gentils. Ils m'emmènent à l'hôpital d'Arpajon. Ont mis le gyrophare. Comme à un enfant, l'un d'eux dit doucement : « Tu vois, on a mis la lumière pour toi toute seule, c'est la première fois n'est-ce pas ? » Au début je ne comprends pas, je ne vois vraiment pas ce qu'il y a d'original au « deux tons ». Je me reprends très vite « C'est chouette ! ». Je n'ai pas envie de le décevoir, le gyrophare, il m'a fait suffisamment honte, sur la voiture de papa, quand il doit rentrer à Paris pour voir un chef d'État, et que nous sommes bloqués dans les embouteillages. Je souris, en rajoute, *c'est super*. Même à moitié handicapée, je dois faire bonne figure, ne pas faire de peine. La main de maman s'est réchauffée. À l'hôpital, quelques examens. Mais très vite je repars. Papa exige qu'on me fasse un scanner, il a réservé une chambre au Val-de-Grâce, là-bas, il pourra me rendre visite. N'avait pas prévu cette éventualité, un papa qui ne peut voir sa fille malade, un papa qui ne peut aller la chercher sur son lieu d'accident, la prendre dans ses bras, la rassurer, frapper ce cheval imbécile, un papa qui tourne en rond dans le salon, silencieux, hermétique. Les autres essaient de lui parler, lui proposent un thé, il ne les entend pas. Mes petites cousines doivent aller jouer dehors pour ne pas le déranger. Tout le monde a peur dans ce calme gris. Maman demande aux gardes de lui donner des nouvelles par talkie-walkie. Il a pris les devants, interroge toutes les cinq minutes ceux qui sont avec lui. Papa réduit à l'impuissance, à son tour au silence, à l'anonymat, se cacher, loin de sa fille, peut-être en train de mourir, de souffrir, lui, prisonnier de son visage, de son chapeau, de son nez, de cette silhouette facilement reconnaissable, de son statut, de son secret, lui qui marche dans une pièce, les mains dans le dos et qui ne peut qu'imaginer.

Au Val-de-Grâce enfin, le scanner ne montre rien d'anormal, la colonne a résisté malgré un tassement de vertèbres, le nez est cassé, les yeux sont cernés de noir. J'ai mal. La porte s'ouvre, papa entre, toute la tension encore sur son visage, les lèvres serrées. Il s'assoit, me prend la main, et reste à côté de moi. Plus tard, il parle aux médecins. J'ai un peu honte de toute cette attention, c'est pour lui, bien sûr, qu'on m'ausculte. Mais je suis trop faible. On l'a échappé belle. Il n'aurait pu se le pardonner. De ne pas avoir été là. À cause de tout ça, pacte tacite, obligation, piège de la représentation. Pour la première fois peut-être, il se dit que, non, il ne maîtrise pas tout.

Plus tard il me présente Alexandre, un homme cheval, si tendre et si professionnel, qu'il finit par convaincre mon père de monter lui-même sur mon double poney. Une photographie en fait foi. Alexandre écarte la menace d'accident. Il trace autour de nous un cercle où le danger n'a pas droit de cité. Mon père ne m'aurait jamais empêchée de continuer de monter, malgré la peur, malgré le souvenir. Mon père trouvait des solutions.

Inventaire nº 12.

Je rentre en hypokhâgne. Cette fille est une nouvelle. Je ne la connais pas. Cela fait plusieurs fois qu'elle s'assoit à côté de moi, par hasard, je crois. Nous sommes timides toutes les deux. Et puis un jour, je ne me rappelle pas pourquoi, nous avons commencé à rire, puis à nous retrouver après les cours, boire des cafés, échanger des numéros de téléphone. Une amitié commence, c'est certain, mais il y a plusieurs questions que je tarde à me poser, une gêne que je refuse de voir, un *problème*. Sait-elle ou ne sait-elle pas ?

Je dois le deviner sans le lui demander, en croisant les doigts pour qu'elle ne sache rien, n'ait pas de moi une autre idée que celle qu'elle a pu se faire, en s'asseyant à mes côtés, parce que, peut-être, elle me trouvait sympathique. Cela serait merveilleux, n'est-ce pas, qu'on me trouve sympathique, juste parce qu'on me regarde, parce qu'on m'écoute. Certains ont peur de moi, mon secret les repousse, ils ne le connaissent pas, ont seulement quelques doutes, mais un secret se voit, il a un visage triste, une moue fermée, un regard éteint. Un secret porte le noir, émet des ondes radioactives, sans doute parce qu'on ne l'approche pas, même si on en brûle. On ne demande rien, ou il faut avoir une dose de culot et de grossièreté pour m'agresser par cette phrase : « C'est vrai que... ? » Accusée, levez-vous, je dois rendre des comptes, c'est vrai que ? J'ai mis en gage la vérité. À quel titre devrais-je la leur livrer, de quel droit connaîtraient-ils ma vie. Je ne leur pose pas de questions. Alors des bruits circulent, que j'ignore, mes oreilles se ferment sur leur passage, sourdes à volonté, mais ouvertes aux ultrasons. Je sens que l'on parle de moi, ces regards curieux, ces papiers qui circulent, une tête qui se tourne et me dévisage. Rester de marbre. Me retirer un peu plus loin, dans cette bulle hermétique où la souffrance est bloquée.

Alors j'attends que la jeune fille, à son tour, entende quelque chose, qui la dérange, qui la fasse fuir. Le moment va arriver où elle me posera une question sur mes parents. C'est un jour comme un autre, et la question est anodine. Je n'arrive pas à deviner si elle a eu vent de quelque chose. Que dois-je lui répondre ? Si elle sait, elle me piège, et je deviens une menteuse, si elle ne sait pas, je mens aussi, et ne fais pas preuve de confiance. Si elle l'apprend par quelqu'un d'autre, comment me faire pardonner ? Et si elle me dit : Tu sais, on raconte vraiment n'importe quoi sur toi ! Je hausse les épaules en répondant, « Oui, ça arrive, les gens sont dingues ! » ? ou je baisse les yeux en lui avouant « Ce n'est peut-être pas complètement n'importe quoi... il faut que je te dise une chose, tu ne m'en voudras pas » ? et, après cet aveu, me regardera-t-elle comme une bête curieuse, se détachera-t-elle de moi, m'en voudra-t-elle pour avoir été bernée par ce qu'elle croyait être une amie ?

Quand pourrai-je le lui dire ? À quel degré

d'intimité aurai-je le courage de formuler l'informulable ? Et d'ailleurs, y parviendrai-je ? Non, sans doute. À chaque fois que je mets quelqu'un dans la confidence, je ne le préviens pas, je le mets devant le fait accompli. Parce qu'il n'y a pas de mots ni de ton acceptable, il y a des faits, évidents, intraduisibles.

Un jour, je l'invite chez moi. Je tremble un peu, elle est abasourdie, plus tard nous pouvons en rire, mais vraiment plus tard. En sourire plutôt. Elle a compris : elle n'en parlera pas, c'est devenu son secret, qu'elle peut partager en famille. Pour le reste, elle le protégera, me protégera, passée de l'autre côté de la barrière, dans le lieu du silence mais aussi du fantastique. Le fantastique deviendra bientôt banalité. Parce que, au fond, il n'y a qu'un père face à sa fille, président ou pas. Les amis de sa fille sont ses amis. Pas de commentaire.

Le cercle étroit de la famille s'agrandit, je me soulage un peu de mon secret en le partageant, il n'en reste pas moins secret. Je m'octroie ainsi quelques facilités. Pas une libération.

Inventaire n° 13.

Le permis de conduire. Un mauvais souvenir. Je déteste l'auto-école, les professeurs à l'haleine douteuse, l'attente dans la pièce aux murs sales, les tests du code. Et surtout ce directeur mielleux, qui du jour au lendemain me susurre à l'oreille, comme si nous partagions des confidences que d'autres n'ont pas le droit d'entendre, créant une fausse intimité qui me fait horreur. Je suis des cours de conduite deux fois par semaine et, deux fois par semaine, je dois prendre sur moi pour me rendre dans ce lieu d'angoisse. D'autant que je sais déjà conduire, les gardes m'ont appris sur des routes de campagne. Pourtant, il faut me remettre dans cette situation d'examen que j'ai pris l'habitude d'appeler tout en ne la supportant pas. Et toujours, redevenir anonyme, me rendre transparente dans un nouveau lieu devant de nouvelles personnes. Cet incessant travail, épuisant, de me faire oublier en même temps que je me fais connaître. J'aurais pu rester indifférente à ces visages et à ces heures en tête à tête dans une 205 poussiéreuse, à écouter les anecdotes du professeur, dont la grande fierté est d'être passé à la Caméra cachée. Je suis obligée de faire semblant de m'intéresser à son histoire sordide : il sortait du métro et un faux clochard harcelait les passants pour avoir une pièce ou du travail. Lui s'en était aussitôt éloigné, dégoûté par l'apparence repoussante de l'homme en haillons. Vous comprenez, on peut pas donner de l'argent aux gens qui refusent de travailler. C'était un faux clochard, la caméra cachée enregistrait la réaction première des passants. Et moi, de ma prison de silence, incapable de lui rétorquer que son comportement était ignoble, que je ne suis pas obligée de subir ses histoires de mauvais goût, que je paye déjà assez cher pour en plus supporter sa bêtise ; et moi, incapable de me révolter, lui souriant, enchaînant les « ah bon », « c'est incroyable », pas même capable de lui opposer mon silence, qui aurait été une prise de position, une manière de me faire remarquer, de me démasquer en existant un peu trop. Alors j'encaisse, freine, démarre en côte, regarde l'horloge sur le tableau de bord, comptant les minutes. Puis un jour de 95, au bout de deux mois, il y a *Paris-Match*, la révélation de mon identité, ma photo sur tous les kiosques à journaux. Et tout ce travail d'anonymat s'envole en poussière. Et je ne peux plus remettre les pieds dans cet espace de tristesse. Et je n'appelle pas pour prévenir de ma défection. Laisse couler les heures que j'aurais dû passer à prendre des leçons.

Je démissionne. Devant la charge. De mon identité. Défaire ce que j'ai tissé, paraître devant ces gens que je n'aime pas, à qui je dois quelque chose soudain, rendre compte de qui je suis, de mon mensonge d'avant, affronter leurs questions, leurs regards, prévoir que le moniteur qui est passé à la Caméra cachée aura une nouvelle anecdote à raconter à ses futurs élèves, prévoir que ces futurs élèves se ficheront bien de son anecdote, encore celle-là se diront-ils, et peut-être même que le moniteur leur affirmera qu'il m'a bien connue, que nous avons tissé des liens, que j'adorais son histoire de caméra cachée.

Et puis il a fallu revenir. Trois mois de silence, trois mois à se cacher, cette fois physiquement, trois mois sans conduire, cela suffit bien. Je dois le passer, ce permis, je dois l'affronter, ce monde. Ou ne jamais y retourner. Mais ce serait une défaite. Je débarque un jour, rue de Rennes. Baisse les yeux en parlant à la secrétaire qui recherche mon nom. Et son regard, lorsqu'elle lève les siens, je n'ai pas besoin de le voir. Je commence à apprendre à sentir, à savoir, à deviner sans vérifier la manière dont on m'observe. Je suis devenue une bête curieuse. C'est drôle, cet adjectif de curieuse qui qualifie le regard qu'on porte sur elle, la bête, et non sa curiosité, comme s'il lui était interdit d'en avoir, comme si être l'objet de la curiosité empêchait d'éprouver de la curiosité. Et c'est vrai, je cesse vite d'être curieuse. Pense qu'en ne regardant pas les autres ils ne me verront pas, qu'en ne contemplant pas le monde je pourrai passer inaperçue, qu'en fermant les yeux je cesserai d'apparaître.

J'ai raison d'avoir peur, tout ce que je redoute arrive, en pire. D'abord le directeur, qui me prend à part, pour me dire, la fierté dans la voix, « J'ai très bien connu vos demi-frères vous savez, ils ont pris leurs leçons de conduite avec moi ». Que suis-je censée répondre, moi qui ne les connais ni l'un ni l'autre, qui me fiche bien de savoir où ils ont passé leur permis de conduire. Mais, voilà, je commence à devenir ce réceptacle que je n'ai plus cessé d'être, le réceptacle des petites vanités. Le jour de l'examen, ce même directeur est là. Je suis accompagnée de trois autres élèves. Nous attendons longuement sur un parking de patinoire. Il fait gris et froid. Nous sommes tous un peu anxieux. C'est alors que le directeur s'approche de l'examinateur pour lui murmurer quelques mots. Je comprends vite qu'il s'agit de moi. Leurs yeux sont braqués sur mon manteau noir élimé. L'angoisse s'immisce vite, la révolte sourde aussi, mais sourde, elle doit le rester n'est-ce pas, ne pas faire de bruit, ne pas déranger, ne pas faire entendre sa voix. La voix de qui, d'ailleurs. Je vois l'examinateur entrer dans une colère fébrile, on perçoit quelques mots « inadmissible », « comportement honteux », tandis que le directeur devient de plus en plus rouge, puis s'excuse. Et je comprends, je comprends dans quel piège je suis tombée, je comprends le regard intrigué de mes camarades, je comprends le regard de haine et de mépris de l'examinateur, je comprends que ce directeur à qui je n'ai rien demandé, juste prié pour qu'il me parle le moins possible, et évite plus encore de parler de moi, a tenté de corrompre l'examinateur pour qu'il ne me colle pas au permis. La honte me paralyse, je veux aller défaire le nœud, expliquer qu'il ne faut pas l'écouter, que nous ne nous connaissons pas, que je ne veux pas être favorisée, qu'on me laisse tranquille, que je redoute plus que tout d'être traitée différemment des autres, que je ne supporte pas les privilèges, le piston, la tricherie, que je veux avoir mon permis grâce à mon mérite et non à cette fausse gloire échue trois mois plus tôt, que je ne veux rien recevoir de ce titre

116

qui m'est plus une couronne d'épines que de roses, que j'ai honte, honte, et encore honte, que je n'y suis pour rien, que le directeur ne gagnera rien d'autre que mon mépris, qu'il faut oublier l'incident, m'oublier, oublier le permis, les voitures, les autos-écoles. Je comprends si bien sa colère qui pourtant m'humilie, je suis prise au piège de mon désir d'anonymat : si je fais un esclandre, j'en sors, si je me tais, j'en sors aussi, plus jamais je ne pourrai passer inaperçue, et j'endosse, outragée, l'ignominie gluante du directeur. Je voudrais partir. L'examinateur refuse de me faire passer et il a raison. Je voudrais lui dire à quel point je suis d'accord avec lui. Pourtant j'ai payé des cours supplémentaires pour rattraper mon absence et pour rien au monde je ne reprendrais de leçons. Le directeur s'excuse. L'examinateur finit par monter avec moi dans la voiture. Je reste silencieuse, les mains moites, essaye d'être gentille, humble, pour lui faire oublier, pour me faire oublier, je m'applique aussi, sachant qu'il n'est pas disposé à me donner le permis, même si je conduis sans fautes, j'ai à payer ce que je suis, à payer pour la bêtise des autres, dont je suis sans doute un peu responsable puisque c'est à mon contact qu'ils en font preuve, je me sens coupable, et la confusion des objets de culpabilité en augmente l'intensité. Je finis mon créneau, et attends, muette, avec les autres candidats, le verdict, bouillonnant de rage mais la gardant pour moi.

J'ai mon permis. Sans gloire. J'ai bien conduit, mais il me semble devoir m'en excuser. Je bredouille un merci, et m'en retourne chez moi, trop honteuse pour raconter l'anecdote. On sourirait en l'entendant, on se dirait, bien sûr, elle l'a eu par piston, c'est toujours comme ça avec les gens connus, ils profitent. Le doute s'immiscerait. Encore une fois, je serais illégitime, une conductrice illégitime.

Fin des inventaires. Retour à Paris.

Samedi 1er mars. Paris

Dans le train, ce sont toujours les mêmes paysages qui défilent et me bercent, mais ces paysages mon père ne les aura jamais vus en accéléré, deux heures quarante de campagnes françaises, une compression moderne. Je m'endors doucement, lâchant les fils de cette mémoire en vrac qui s'achemine vers des rêves lointains, dont j'aurai bientôt tout oublié. En état de veille, elle a peur de se déverser presque autant que de se perdre, elle s'essouffle aussi, elle n'a pas l'habitude. C'est un début, n'est-ce pas, que tu pourras garder, comme des timbres des différentes régions où mon enfance s'est construite. Je collecte pour notre futur album, avec un peu de précipitation, pas beaucoup d'ordre, est-ce que des souvenirs peuvent s'ordonner ?

Arrivée gare de Lyon, je longe l'escalier du Train bleu, levant les yeux vers l'enseigne.

La première fois que j'ai présenté un petit ami à mes parents, c'était ici même, dans ce restaurant qui domine les départs et les arrivées vers mon Sud natal. C'est mon père qui avait choisi ce restaurant pour marquer la solennité du moment. Ali et moi étions au lycée ensemble. Je ne lui avais jamais parlé de mon père. Ne voulant pas savoir s'il était au courant. D'abord être sûre qu'il était de confiance, ensuite être sûre que je voulais lui confier un tel secret. Je reste filtre entre le monde et la maison, joue à la jeune fille d'un côté, à l'enfant de l'autre, et c'est très bien ainsi, on ne veut pas que son petit ami connaisse l'enfant que l'on est demeuré, ni que ses parents rencontrent la jeune fille. Toujours mentir pour faire plaisir, rester celle que l'autre désire. Et puis un jour il faut lever le pont-levis, parce que, en vrai, la schizophrénie n'est pas un jeu très drôle.

Mais aussi, qu'aurais-je pu lui dire sans me démasquer ? Ali ne me posait aucune question. Nous vivions sur un non-dit accepté de part et d'autre. Un malentendu que je ne pouvais clarifier sans aborder le problème de front. Et franchement, quelle question bizarre : tu sais qui c'est mon père ? Comme si cela avait de l'importance puisque nous nous aimions ! D'accord, ça pouvait en avoir. Pas obligée d'avoir envie de le savoir.

Au bout de quelques mois, les tests passés haut la main, je décide donc de faire les « présentations officielles ». Je réquisitionne deux de mes confidentes pour qu'elles m'aident à amortir le choc. Mes parents nous attendent. J'arrive en haut du grand escalier avec lui, les mains moites, le cœur battant. Nous regardons les trains, et je lui demande dans un souffle : Tu sais qui tu vas rencontrer ? Il n'est pas du genre curieux, ou à accréditer n'importe quelle rumeur. Je n'ai jamais réussi à comprendre exactement ce qu'il savait déjà. Il me répond : « Non, pourquoi ? » Ça ne me facilite pas exactement la tâche. Trouver une manière de lui dire maintenant que je ne peux plus reculer. Et puis comment va-t-il réagir ? Partir sur-le-champ ? Arriver tremblant à la table, bafouiller, se moquer de moi, écarquiller les yeux. Pour moi après tout, ce n'est que mon père, mais pour lui ?

Je n'ai qu'une envie, sauter dans un train et partir le plus loin possible. Je ne sais plus ce que je lui ai dit alors : C'est François Mitterrand, ou C'est le président de la République, ou Tu n'as jamais entendu ce qu'on disait sur moi ? Dans ces moments-là, je n'ai pas le sens de la répartie.

Et puis ça s'est passé. Ils se sont rencontrés, très adultes tous les deux devant nous qui gloussions comme des pintades effarouchées.

Maman tremble plus que papa. Le premier petit ami de sa fille. Elle n'est pas au courant des épreuves secrètes que j'ai imposées à celui que je présente à mon père, alors elle s'y met, inquisiteur modèle : *Savez-vous qui a peint les fresques murales qui ornent le restaurant ?* Je regarde mes amies, inquiète. *L'époque ?* Aïe. Aucun être humain au monde, sinon une poignée de ses clones, ne pourrait répondre. Papa rigole. Lui-même ne sait pas. Alors si lui, l'homme de sa vie, cale, Ali a bien droit à un joker. On n'entre pas dans une famille comme ça. Je n'avais pas songé à lui faire avaler l'encyclopédie du XIXe siècle. On ne peut jamais prévoir d'où viennent les pièges. Papa et sa présidence, peanuts.

Samedi 7 juin. Paris

Triste Paris, pluvieux et gris, un ciel « bas et lourd ». Longtemps je ne t'ai pas écrit. Notre bull-terrier s'est perdu dans la ville. Désormais, quand je perds quelqu'un ou même quelque chose, je pense à mon père. Ces premières vacances, sans lui, où l'on m'avait volé tout ce que je possédais, les robes qu'il avait vues, dans lesquelles je posais à ses côtés, sur les photographies, des livres qu'il m'avait offerts... Tout ce qui pouvait témoigner de notre existence commune. Ce chien, il ne l'a pas connu, mais aurais-je cette passion pour les chiens s'il ne me l'avait pas léguée ?

La mort de papa, nous nous y attendions tous. On ne peut pas réellement se préparer.

Je le voyais tous les jours malade, mais à aucun moment je ne me suis véritablement dit qu'il allait mourir. Ce sursis pouvait durer éternellement ; je le voyais souffrir, et se désespérer de souffrir, devenir irritable, puis lointain. La maladie lui était une humi-liation. Il n'a jamais complètement réussi à l'accepter. Pour la première fois, il affrontait plus fort que lui. À Assouan, je me promenais toute la journée avec mon meilleur ami, nous nous baignions, nous discutions des heures. Je passais quelques minutes dans la chambre de mes parents, embrassais mon père, parlais à peine à ma mère que je voyais si triste, si fatiguée, elle faisait l'infirmière jour et nuit, si fataliste : je ne le supportais pas, je ne les supportais pas. À table, mon père venait en robe de chambre. Il était absent, tout le monde essayait de rire. Il me prenait la main, je faisais comme s'il était simplement fatigué, j'étais particulièrement enjouée. Je lui refusais la reconnaissance de sa maladie, je me la refusais à moi. S'il se plaignait, je l'écoutais à peine, comme un enfant capricieux. Je profitais de ces vacances avec une avidité jusqu'alors inconnue. Longtemps j'avais résisté : je ne voulais pas partir, mon père en avait été blessé. Je préférais aller à Clermont-Ferrand, chez mes cousins, et écourter le plus possible ce dernier voyage. Si important pour lui. Notre voyage mystique. Je n'ai pas voulu l'entendre, lorsqu'en novembre nous avons décidé qu'il serait bien d'y aller, une fois encore, une dernière fois.

Ce n'était pas dit comme cela, bien sûr, ce vocabulaire, je l'avais banni, écarté de mon langage depuis les premières opérations dont papa ressortait affaibli, certes, mais le corps n'était qu'un énième terrain de combat. Papa m'avait habituée aux victoires. À six ans, à quatorze.

Mais après avoir fini son deuxième mandat, papa accepte qu'il a peut-être suffisamment vécu, ou que la maladie est une autre bataille que la politique. J'ai vingt et un ans. Dix-neuf dans l'ombre, deux à fuir la lumière. Il quitte l'Élysée, et bientôt la vie. J'avais attendu, le temps d'une enfance et d'une adolescence, des voyages anonymes, des vacances normales, sandwiches et promenades dans les rues d'une ville où l'on ne se retournerait pas sur nos pas. Mais nos dernières vacances sont à l'image de notre vie, hors de l'ordinaire, intenses, irréelles. Plus que jamais, nous sommes en sursis. Je ne connaîtrai pas la vie simple que nous promettaient – peut-être – la fin de la présidence et la trahison de mon identité. Mais sans doute étions-nous condamnés à la marginalité, une bulle d'absolu qui côtoyait l'existence des autres, une bulle familiale qui côtoyait la société, sans jamais la rencontrer, une bulle de vie, de toutes parts cernée par la mort. Je voulais fuir, chez les miens, dans les rires insouciants de ma jeunesse.

Une fois à Assouan, je ne voulais plus partir. Je découvrais une fuite plus intense, le désert et le Nil. Je crois avoir été fabuleusement heureuse, comme si ces moments échappaient à une trame, touchaient à l'éternité.

C'est le dernier Noël que nous passons ensemble, et la fin a ses exigences. La beauté par exemple, un pays lointain, étranger, ensoleillé, un pays où nous avons connu le bonheur et où les dieux ne se cachent pas, présents dans les pierres et les regards.

Oui, nous sommes partis une fois de plus, loin des médias, de la France et du quotidien. Mais je savais que nous transporterions dans nos bagages la maladie et l'imminence de la mort. Non, je ne voulais pas partir, aller au-devant de cette fin dont nous parlerait Assouan. J'avais compris que ce lieu symbolique représentait l'adieu de mon père à la terre des hommes. Un adieu auquel il voulait que je me joigne. Un adieu à nos vingt et un ans de vie commune, d'amour, d'exception. Une passation des pouvoirs.

En me rendant là-bas, j'acceptais malgré moi cette idée impossible qu'il puisse cesser de vivre. Les felouques aux voiles blanches, les eaux noires et boueuses du Nil, les dunes de sable qui se perdent dans un horizon jaune, le ciel invariablement bleu et le balcon en bois de l'Old Cataract m'ont enseigné que la mort ressemble plus à un passage qu'à une salle d'hôpital, et, dans cette chambre hors du temps aux parquets noirs qui sentent la cire, j'ai su qu'il ne mourrait jamais, à condition que je vive pleinement.

Depuis, je n'y suis pas retournée, peut-être parce que je n'ai pas tenu ma promesse.

Ce voyage n'admet pas la tricherie. Aujourd'hui pourtant, mon passé me fait signe, le désir de te porter, toi, l'enfant, de donner à cette histoire une suite exige qu'elle ait un début. Assouan n'a jamais été un point de conclusion. Je n'ai pas encore retrouvé cette vue sur le Nil, qui garde la mémoire de nos derniers instants.

Point de départ, alors, Assouan, vers les régions lointaines et proches de l'enfance.

Nous sommes revenus. Je n'avais plus envie d'aller à Clermont, mais y séjournai cependant quelques jours. De retour à Paris, j'ai repris les cours, sans me soucier de savoir comment la maladie empirait. Il était rentré après nous. J'allais les voir à Le-Play, un jeudi après-midi. Je restais quelques heures. Ali m'avait rejointe. Maman a demandé à me parler après que j'ai discuté avec papa, lui tenant la main. Dans la bibliothèque, elle m'a annoncé que l'enterrement aurait lieu à Jarnac, comme papa l'avait choisi.

Il était là, dans la chambre à côté, et elle me parlait de son enterrement.

Il était vivant et elle me parlait d'un lieu précis où on allait le mettre sous terre. Certes, pour elle, c'était une façon de m'annoncer qu'il ne partirait pas pour le mont Beuvray près du fief de son autre famille, où l'aurait rejoint un jour sa femme, et que nous ne serions pas exclues de sa mort, alors que nous avions été si intimement liées à sa vie.

Jusqu'à ce jour, je n'avais pas compris qu'il allait mourir pour de vrai. Mais un enterrement, un lieu, bientôt une date...

Il était donc mort avant de cesser de respirer. J'ignorais qu'il avait tout prévu, qu'il avait renoncé à continuer. Les vivants parlaient d'enterrement. J'ai crié que ce n'était pas vrai, on m'a laissée faire. Puis j'ai attendu. Une semaine devant moi. Une semaine pour tout vivre, tout rattraper, profiter. Je n'ai rien fait de cela. Ces sept jours ont été identiques à ceux qui les avaient précédés. Du quotidien à faire semblant.

Le dimanche à midi, j'organise un repas de famille, dans la salle à manger de Le-Play. Je parle, je ris, je vais chercher les plats. J'appelle maman pour qu'elle vienne manger, un peu fâchée. Elle ne veut pas quitter la chambre de papa. Je suis la maîtresse de maison, peut-être même que je parle trop fort. J'ai mes amis, ma tante, ma cousine, à mes côtés. Les conversations se mélangent, bruissent dans un flot continu, il ne faut pas laisser place au silence. Maman a cessé de jouer le jeu, elle est de l'autre côté, je ne veux pas savoir ce qui s'y passe, j'entre un moment pour la presser de venir avec nous, elle me renvoie sèchement, d'ailleurs elle ne me dit rien, ne lève même pas la tête, parle à papa dans un débit étrange, je n'existe plus, les dérange, embrasse le bout du nez de mon père, pour faire comme d'habitude, et je m'en fiche s'il ne me reconnaît pas. Je reviens vite manger mon dessert. Les autres m'interrogent du regard. Je les rassure, tout va bien. Je ne sais pas si je préfère moi-même ne pas croire que papa est en train de mourir, ou leur faire croire à eux que pour moi tout va bien, donc qu'il est inutile de rajouter de la peine à tout ça. Je n'aime pas qu'on me plaigne, je n'aime pas la lourdeur, je n'aime pas la douleur, je n'aime pas la tragédie dans laquelle maman s'embourbe, je n'aime pas la mort. Et puis si j'arrive à prendre la peine des autres sur moi, j'effacerai peut-être ce qui est en train de se passer. Ils ne verront rien, on fera comme si, je peux tout prendre, du moment que ça n'éclate pas, les pleurs des autres me sont insupportables. Mais maman n'accepte pas cet échange, votre peine contre des rires, un vrai déjeuner du dimanche, moi je sais faire semblant, depuis le temps que j'ai appris, si on ne prononce pas les mots, les choses ne se réalisent pas, c'est simple, longtemps je n'ai pas su dire Mazarine, eh bien voilà, je ne sais pas qui je suis ; refuser de dire mort, papa mort, peine, maman en larmes, refuser la nudité des sentiments, l'habiller toujours, c'est la dernière manière de le sauver. Non, maman ne veut pas que je prenne sa douleur sur moi, et c'est intolérable, ce refus qu'elle m'oppose, cette révolte sourde, sa souffrance qui bientôt va me déborder. Et je devinais peu à peu que, de toutes les souffrances, c'est la sienne que je supporterais le moins.

Parce qu'elle était mon impuissance. Parce que

soudain j'étais coupable de vivre. Ou peut-être parce que j'aurais à devenir ce qu'il était, pour remplacer, une image, un reflet, un petit bout de lui, et qu'obscurément je n'étais pas sûre de vouloir devenir une effigie, ni de décevoir ma mère et, en décidant de vivre, de l'abandonner.

Je suis rentrée rue J., avec ma bande, ma troupe, ma nouvelle famille, dîners, films, et encore films, sur les matelas en désordre, les uns contre les autres, jusqu'à épuisement de fous rires et de discussions. À six heures du matin, maman frappe à ma porte et m'éveille. Les autres continuent de dormir. « Papa est mort cette nuit ; tu peux venir le voir avant qu'on ne l'annonce et que les visiteurs n'arrivent ; tu peux aussi rester ici, si tu préfères, mais je te conseille d'y aller. J'en reviens. » J'hésite. Elle insiste. Mais la comédie a assez duré. Je pars seule, dans la nuit. Paris est silencieux, les lumières s'allument peu à peu, il fait froid, cela se voit aux visages et aux mains dans les poches. Je fais une dernière fois ce trajet. J'aime ce silence du matin. Je sais que, seule avec lui, je pourrai lui dire adieu sans tricher, je ne serai pas obligée de lui cacher une larme, d'ailleurs à lui, je n'ai jamais rien caché. Bien sûr, avant d'entrer dans la chambre, il faut dire bonjour aux gardes, qui m'embrassent, les yeux mouillés, les miens sont secs. Je leur demande de me laisser seule avec lui.

J'ai hurlé. Il était étendu et « peint », inerte. Froid. Ils devaient m'entendre de l'autre côté de la porte. À ce moment, ça m'était égal. C'était fini. Cette fois le mensonge n'était plus possible. Cette fois, il était tout ensemble : mon père, un ancien président, un homme politique, celui qui avait accompagné mon enfance, celui qui connaissait beaucoup de monde, celui qui me connaissait mieux que personne.

Plus tard, cette image que j'aurais souhaité garder pour moi seule serait publiée par *Paris-Match*, spécialiste des notices nécrologiques. Une photo volée. Une de plus. On a tout de suite accusé Ali, qui n'était pas venu le voir à Frédéric-Le-Play. C'est normal, l'Arabe de service était prédisposé. Les rumeurs allaient bon train dans Paris. Un jour qu'il déjeunait avec ses parents, il a entendu des conversations l'accusant de ce forfait. Ali n'est pas violent, il a laissé courir. Un journal l'a nommément mis en cause. On a immédiatement attaqué, il a gagné un franc de dommages et intérêts, pour une réputation mise à mal, pour une injustice faite à lui qui avait authentiquement aimé mon père. Le journal a déposé le bilan, mais aujourd'hui je vois le journaliste qui avait signé l'article sur des affiches dans tout Paris pour promouvoir sa propre personne.

La *famille officielle* – pourquoi cette expression me fait-elle penser à *bordereau de situation* – et moi avons porté plainte pour la publication de cette photographie. Étrangement, maman n'a pas ressenti d'atteinte, elle trouvait même la photographie belle, digne d'une tradition dix-neuviémiste, qui inscrivait papa dans la droite ligne de Victor Hugo. La culture permet parfois une souplesse imprévue.

Récemment, elle m'a emmenée voir une exposition sur l'art mortuaire. Il y avait côte à côte les moulages ou les photographies de Proust et de Schubert, l'inconnue de la Seine, et Victor Hugo, encore lui. La mort en les figeant, nous les restituait. Avec le temps, même la mort s'en va.

J'ai refermé la porte. C'est la dernière fois que j'ai vu mon père. Je suis revenue chez moi. Me suis changée. Devais retrouver Dominique, ma meilleure amie au café, le Petit Suisse. Je m'étonnais de son courage. Son coup de téléphone. Moi, la souffrance des autres me fait peur. Lorsque nous avons ouvert la petite porte bleue de l'immeuble, mon compagnon me devançant, une horde de photographes, objectifs au poing. Je suis restée un moment interdite, avant de chercher à fuir leurs regards. Ils n'auraient pas une larme de moi.

Ali, en colère, s'approche de l'un d'eux, lui demandant quelle fierté il peut tirer d'un geste pareil et si toute décence lui est vraiment étrangère ; comment brader sa dignité, pour quoi, deux cent mille, cinq cent mille francs ? Le paparazzi a cette réponse, savoureuse : « Même pas, on est trop sur le coup. »

Ils ne parlaient pas le même langage. Toute la journée nous avons couru de café en café pour les fuir. Ils attendaient, comme une meute de chiens leur proie. En sortant du Café bleu, en bas de la rue Mouffetard, Ali, furieux de s'apercevoir que nous étions encore suivis, a lancé sa bicyclette sur l'un des photographes. Il n'a rien eu. La bicyclette, elle, s'est cassée. Au Petit Suisse, le programme de la radio s'est interrompu pour annoncer : « Ce matin à huit heures, François Mitterrand est mort. » Ils s'étaient trompés de deux heures, nos deux heures à nous.

Dominique m'interroge du regard, savoir ce qu'il faut faire. Je souris, ce n'est pas grave. Les ouvriers qui consomment au comptoir et les rares clients tendent l'oreille. Je ne peux éviter d'entendre les commentaires. J'ai peur que ce ne soient des insultes ou des hourras. Je suis épargnée ce jour-là. C'est plutôt de l'émotion.

Cela n'allait pas durer.

Et puis, quelques jours plus tard, l'enterrement eut lieu. C'est la première fois que je me rendais à Jarnac. Il fallait la mort pour me mener à mon pays d'origine, la mort de mon père pour que je découvre son paysage d'enfance, sans cris de joie, sans déjeuners du dimanche entre grands-pères, grand-mères, frères et sœurs, sans escapades dans les champs. Jarnac, austère petite ville sur les bords de la Charente, ce mot, dans la bouche de mon père, chargé de bonheur, Jarnac dont il me reste une photo de famille, prise quand il devait avoir six ans, et qui a surmonté mon lit bateau de la rue J. Jarnac poétique pourtant, dont j'éprouvais le charme par les yeux de mon père, et soudain assailli d'un peuple entier de fidèles endeuillés, de photographes et de manteaux noirs.

Bientôt des images circuleraient dans le monde entier, et dans mon esprit le souvenir du froid et de larmes retenues, de ma mère qui concentrait la douleur la plus pure sous sa voilette noire. Cachée encore, mais présente, lors de cette unique journée où sa vie intime rencontrait l'espace public, parce que la mort exigeait cette coïncidence. On enterrait en grande pompe le président de la République, on enterrait dans un cimetière de petite ville de province le garçon de Charente et, plus encore, on enterrait mon père. Cette fois, la fin rassemblait ses différents visages. Nous nous devions d'être tous là, tous ceux qui en avaient connu les facettes différentes, soudain réunis autour d'un cercueil.

Je me levai tôt pour me rendre à l'aéroport militaire. Le manteau que j'avais emprunté à ma mère, les miens étaient élimés, n'était pas assez chaud pour me protéger des frissons intérieurs. Dans cet ultime moment, elle avait tenu à ce que je sois bien « mise », vérifié une dernière fois ma tenue, sursaut dérisoire d'éducation bourgeoise. Mais elle avait raison. Tout le monde attendait dans un petit salon. Qui organisait les choses, je n'en ai aucun souvenir. Mais c'est avec mes demi-frères et Baltique que j'ai fait le voyage dans un avion militaire qui transportait le corps. Nous étions assis comme dans ces films de guerre où les parachutistes attendent leur heure. Pour la première fois nous étions réunis tous les trois autour de celui qui était notre lien. Et dans cette heure hors du temps, dans un ciel clair et glacial, nous avons presque formé une fratrie – bégayante et maladroite ; au sortir de l'avion, nous savions que nous allions retrouver nos mères respectives, mais là, dans cet étrange lieu, nous étions obligés de reconnaître que nous venions d'un même homme. Nous essayions de parler avec une légèreté surfaite, mais le bruit du moteur finit par nous en dissuader. Arrivée à l'aéroport je retrouvai ma mère, et les autres membres de la « famille », la grande, la multiple. Tous en rang, devant l'avion, sur le tarmac et dans le vent, nous avons assisté à la sortie du cercueil enveloppé dans un drapeau tricolore, porté par des militaires en uniforme, sur le rythme solennel de la Marche funèbre de Chopin.

Si je pensais contrôler mes émotions, la cérémonie officielle nous obligeait à la retenue, la musique a descellé un à un les cadenas. Les militaires faisaient ainsi leurs adieux, les photographes n'étaient pas visibles, mon visage pouvait se défaire sans témoin et c'était bon de céder un peu.

Après ? Voitures noires, minicars, cortège vers la ville. La cérémonie commençait, aux yeux de tous. Et quand les yeux se portèrent sur moi, je me retranchai loin, quelque part où parfois je n'avais pas moi-même accès. Ma mère à mes côtés, la procession à travers les rues, Baltique restée à la porte de l'église, tenue par l'un des gardes – les gardes, qui portaient à leur tour le cercueil, les yeux rougis, les photographes omniprésents, les télévisions, mais que nous ne voyions plus, perdues dans des souvenirs que personne ne pouvait partager. Nous nous tenions serrées, toutes les deux, nous faisions nos adieux, avec les autres, à côté des autres, et seules pourtant. La tristesse partagée était aussi un soutien, mais nous ne perdions pas la même personne, puisque, le lendemain, nous savions que nous nous retrouverions abandonnées, par lui, par d'autres aussi. Avec le pouvoir s'éloignent les hommes.

Plus tard, j'ai vu les couvertures des journaux, les photographies qui resurgissent régulièrement, et face à elles, peu à peu, mon souvenir de cette journée s'est évaporé. Les contours de l'image restent toujours plus nets que ceux de la souffrance. On a glosé sur la réunion des deux familles. Je me rendais à peine compte de ce que cela pouvait représenter. J'avais vécu mon enfance aux côtés de ma mère et de mon père que je voyais à la télévision au côté de Danielle. C'était cela, ma normalité, je n'y voyais pas d'inconvénient, et passer cette journée tous ensemble était à mes yeux la logique de nos vies. Il y a quelques mois, j'ai retrouvé un vieux journal, où un sondage montrait que les Français approuvaient à 55 % cette double présence. J'ignorais jusqu'alors que ma place était mise aux enchères. Aucun sondage encore sur la légitimité de mon existence. Aurais-je dû boire la ciguë si la majorité l'avait condamnée ? Ma vie en chiffres, ma vie en images, ma vie soumise aux aléas de l'opinion... J'étais en réalité bien loin de ce qui pouvait apparaître. La peine a cet avantage qu'elle ne se confond jamais avec ce qu'on voit d'elle.

Et puis j'étais fière de l'émotion commune, de la minute de silence dans les écoles, de la dignité des chefs d'État et des hommes politiques dans Notre-Dame, je me sentais portée par cette vague de tristesse, pendant un jour, j'avais le droit de souffrir sans que personne ne me demande pourquoi, sans qu'on m'attaque, j'avais le droit aux mots de consolation, aux gestes tendres, aux fous rires de nervosité, j'avais le droit d'être fière de mon père, de montrer que je l'aimais sans qu'on m'accuse, je gagnais ma légitimité par la souffrance. J'étais libre de me montrer telle que j'étais. C'était un peu tard et ce fut la seule fois. Mais, en ce jour, j'ai été totalement la fille de mon père. C'était à moi de le continuer.

Pendant une semaine, j'ai demandé à tous de passer à la maison. Maman disait vouloir être seule, je ne la croyais pas, et d'ailleurs je n'avais pas l'intention de lui obéir. Elle voulait déployer sa souffrance quand je voulais la contenir. Ces soirs ont été de fêtes et de rires. Ces moments de vie où les êtres se découvrent et se parlent, ces heures où le mensonge est impossible. Nous étions soudés. C'est après que la douleur a repris son empire, insidieuse, évidente.

Si le deuil allait mettre du temps à s'accomplir, la mort, elle, venait nous délivrer : délivrer des souffrances, de la régression du corps, de son humiliation, délivrer des choix à faire entre telle ou telle thérapie, de l'angoisse de ma mère devant des options qui mèneraient de toute façon au même résultat... J'ai eu l'impression, un temps, de le retrouver. Il n'était plus lui depuis quelques mois et s'en voulait de se montrer ainsi. Une fois mort, il renaissait, je me l'incorporais et le gardais serré contre moi, longtemps, longtemps, trop longtemps pour ne pas pâtir de cette renaissance illusoire.

Je me souviens de ce jour de juillet, dans l'amphithéâtre de la Sorbonne. Nous écoutions les résultats de l'agrégation. Maman était là, Agnès, ma tante, Ali, Matthieu, mes amis qui avaient aussi passé le concours, Anne et Sophie. Quand, au dix-huitième nommé, j'ai entendu mon prénom, j'ai fermé les yeux de soulagement, de bonheur et de détresse. Je ne pensais qu'à lui. Pourquoi n'était-il pas là pour savourer ma victoire, sans lui, elle était tronquée. Maman aussi, j'en suis sûre, songeait à celui qui aurait été si fier, le père de son enfant. Dans la cour, le ciel était bleu, et je savais que mes joies désormais seraient toujours mêlées d'un regret.

Dimanche 8 juin. Paris

Mon petit chien court toujours. Maman me dit que Baltique, notre chienne, était ainsi partie dix jours et avait été retrouvée saine et sauve. Attendre et supporter l'impuissance.

Baltique, tu la verras sur des photographies, peut-être jaunies déjà. Elle est morte. Nous l'avions choisie, papa et moi, parmi une portée de boules de poils noirs, blancs. Les chiots de ma première chienne, Thélème. Nous l'avions reconnue comme la nôtre, à la première caresse. Elle était intelligente et mal élevée. Et nous aimions qu'elle fût ainsi sans gêne, indifférente aux classes et aux hiérarchies. Tu comprendras qu'à la maison il y aura toujours des chiens, et je voudrais te transmettre cela, au moins cela, cet amour fou pour des bêtes fidèles. Je te ferai lire *Chien blanc*. Alors tu sauras que cette élection est mâtinée de méfiance à l'endroit des hommes.

Ma mère a toujours dit que papa était la réincarnation d'un ancien chien. Il en avait la fidélité, le besoin de rassembler et l'angoisse d'abandon.

Lundi 9 juin. Paris

Je suis enceinte.

C'est insensé. Miraculeux.

Trois mois déjà, trois mois que tu te développes sans que je n'en sache rien. J'ai besoin pourtant que tu me rassures, me fasses signe, ton bien-être là-bas, là-dedans, ton corps élastique qui se nourrit, qui prend forme. N'oublie pas de doigt ni de pied, n'oublie pas les poumons, aussi, c'est important. Mais pas trop vite, attends que j'arrête de fumer, ou chaque cigarette nous sera une blessure commune, ma culpabilité d'assassin, ton impuissance devant ma folie meurtrière, et moi qui n'y peux rien, contre cette pulsion mortifère, moi que la volonté a désertée, elle jadis si farouche, moi qui ai peur.

Comment te parler, maintenant que tu es là ? Tous ces mots que j'ai bâtis en ton absence, en ton espoir, garderont-ils leur évidence, tandis que dans ma chair tu grandis ? Et cette chair, celle que je n'ai pas encore interrogée, saura-t-elle t'ériger un abri à ta mesure ?
Je dois faire vite, me préparer, me réparer, laisser

se distendre la peau, gonfler les seins, sans leur enjoindre l'immobilité, l'esthétique statuaire, si chère à mon obsession de maîtrise. Laisser aller, te laisser venir, me laisser changer. Baisser la garde. Ouvrir les cadenas, tu sais, ceux de l'obscure antichambre.

Mardi 10 juin

J'ai retrouvé mon chien. Du XIXe arrondissement, il est allé faire un tour du côté des Halles, s'est retrouvé dans le neuf trois. Une fée a téléphoné. Il a fallu parlementer en verlan avec ses nouveaux propriétaires pour le récupérer. Il tremble, mais il est vivant.

Mercredi 11 juin

Pour t'attendre, nous déménageons, cartons, livres, vaisselles, nous quittons les cinquante mètres carrés au cinquième étage dans le Xe arrondissement pour un grand rez-de-chaussée, en ruine encore, dans le XIe, ce sera plus calme et plus simple, n'est-ce pas ? La poussette et les chiens, la rue piétonne et les boulangeries à côté, où satisfaire mes envies de tartes aux fraises, plus simple, plus tranquille, une chambre pour toi, ce sera mieux que le canapé-lit, une grande cuisine, où nous ferons cuire des gâteaux. Je sens l'odeur du chocolat fondu, je vois les casseroles à lécher, des petits doigts malaxant la pâte brisée, des moules de toutes les formes, étoiles et cœurs, des cakes pour tes petits amis, des bonbons cachés sur l'étagère du bas. Sur la grande table, tu feras tes devoirs pendant que je préparerai le dîner. Oui, je vois tout cela, et cet appartement est presque aussi vrai que toi, malgré les gravats et les fils d'électricité qui pendent.

Vendredi 13 juin

Hier, une lettre dactylographiée d'un monsieur qui ne va pas jusqu'à signer correctement ses injures « ma chère Mazarine, ce procès en diffamation à propos du vocable "arsouille" autrefois décerné à ton père par le général de Gaulle a montré, une fois de plus, à quel point le sens du ridicule t'était étranger. Tu as été déboutée, et c'est tant mieux... ».

Moi, j'ai fait ce procès en diffamation ? C'est merveilleux comme les gens sont toujours plus au courant de ma vie que moi.

La lettre continue ainsi, et s'achève sur « Allons, ma chère Mazarine, tu ne seras jamais, pour ceux qui te connaissent, que la fille de l'arsouille, présomptueuse et ridicule »... J'ai reçu des lettres se réjouissant de la mort de mon père, traitant ma mère de pute, et moi par la même occasion, des lettres de menace et des demandes en mariage.

J'ai longtemps choisi l'indifférence plutôt que de tomber dans la paranoïa, mais c'est encore un simulacre. Il n'est pas vrai que l'on puisse rester tout à fait indifférent aux violences, non seulement à son encontre mais faites à l'endroit de son père. Et si l'on y arrive, cette indifférence menace de recouvrir le reste.

Mais là, malgré l'entraînement, ça coince. J'ai peur. Comment te protéger, l'enfant, qui ne sais rien de tout cela, dont ce n'est pas l'histoire et qui pourtant en auras la charge. Toi qui seras attaqué, pour ce dont tu viens, pour ce que nous sommes, des prénoms et des noms. Des noms que nous ne portons même pas.

Je souffre de ta souffrance à venir, de mon impuissance programmée, de cette injustice qui tend à faire payer les fils pour les pères. La fragilité des parents porte son premier coup à l'illusion de sa propre invulnérabilité. Les blessures de cet ordre ne se soignent pas. Je porte encore la douleur de mon père, mon impuissance à panser la plaie, la sienne aussi à m'épargner les conséquences de ses choix. J'étais liée, pieds et poings, dès l'enfance : je n'avais d'autre possibilité que combattre à ses côtés, le sauver de ce monde qui bientôt me le revaudrait.

Il est trop tard pour t'épargner les insultes faites aux parents. Et je sais qu'il n'y a pire déchirure pour un enfant.

Samedi 14 juin. Gordes

À Gordes je suis chez moi, dans la maison de mes parents, chez les « miens » ; ils sont deux. Ou plutôt l'un est un seul, l'autre est une famille, m'a offert oncles et tantes, cousins, cousines à volonté. Mais dans ce lieu-là, nous étions la plupart du temps trois. Aujourd'hui, c'est mon lieu, celui de ma mère aussi qui y vient peu. Un dessin offert à mon père représentant Golda Meir, une toile de Zoran Music, notre ami vénitien, le crépitement des bûches qui n'en finissent pas de se consumer, une cigarette parce qu'il faut bien céder aux faiblesses du corps, mon amoureux, ma chienne, la nuit, et des livres à n'en plus finir qui furent feuilletés par les mains de mon père, la plupart lui sont dédicacés. La mémoire, ce sont les livres qui l'ont. Il collectionnait les éditions anciennes ou originales pour y sentir la présence des premiers lecteurs, des premières émotions, des premières lectures – peut-être même le toucher de l'auteur. Il me suffit d'y voir la marque de papa, de sentir sous la caresse du papier ce qu'il avait pu éprouver, en son temps.

D'habitude, après vingt et une heures, je ne sais plus lire ni écrire, l'angoisse monte comme une boule, mes pensées s'agitent et je dois les faire taire. Nous prenons un verre, nous discutons, nous dînons ou nous sortons, et je me perds dans un tourbillon qui commence à m'atteindre physiquement. Mais je ne connais pas d'autre échappatoire, vaincre la lucidité, la laisser de côté quelques heures, l'ignorer ou la mettre au défi. Je dois m'endormir pour respirer un peu, même si c'est dans les volutes de nicotine. La télévision peut aider, mais je m'en lasse facilement. Les rêves enfin, mais ils ne sont pas toujours salvateurs. Comment se construire quand on est chaque jour obligé d'échapper un peu plus à soi-même ? Ceux qui résolvent la question sont des héros. Mon père avait réussi. Je n'ai pas eu le temps de lui demander son secret.

Pour toi, cependant, j'apprends à me coucher tôt.

Lundi 16 juin. Gordes

Grosse chaleur sur le Luberon, plus de quarante degrés au soleil. À l'ombre je m'endors. Il faut fermer les volets pour garder la fraîcheur, elle est récalcitrante. Je ne sais pas encore que les vieux meurent. Le ministre de la Santé non plus.

Ton père revient demain. Je suis seule avec toi et ma chienne. Seule, ou deux, ou trois, seule avec mon ventre, attachée à lui quoique l'interrogeant, souvent, un peu méfiante peut-être. Mais cette solitude nous est un bienfait.

J'ouvre un livre de la bibliothèque au hasard, un livre écrit sur François Mitterrand.

Parce que toi aussi tu pourrais bien tomber dessus un jour.

J'ai toujours pensé que si j'acceptais de chercher les raisons de la haine, c'est que je pactiserais avec l'ennemi, c'est qu'un temps j'abandonnerais notre complicité, notre absolue confiance mutuelle. Que ce serait tenter d'admettre qu'il mérite quelque part cette violence. Te laisser croire que j'ai failli à notre lignée.

Mais tu porteras malgré toi notre histoire. Je ne

voudrais pas un jour voir surgir une rancune quelconque de ta part. Aussi m'est-il aujourd'hui nécessaire de le rencontrer, cet homme que je connais par cœur.

Pour toi, et pour la première fois, j'accepte d'ouvrir un livre sur lui, ou l'autre qu'il a été.

Je le reconnais derrière le style d'un auteur. Ses partis pris. Ses présupposés, sa curiosité qui n'est pas la mienne. La mienne se loge dans les interstices, dans ce qu'il ne dit pas. Sans doute est-ce dû à ce désintérêt volontaire que j'ai entretenu à l'endroit du passé de mon père. Comme si celui-ci était surgi de nulle part et avait comblé mon enfance par sa seule présence, m'économisant la nécessité d'une famille, de racines, d'une vie avant lui, ou plus exactement d'une vie avant moi. Comme s'il n'avait existé qu'à partir de moi.

Et soudain, cette autre famille qui frappe à la porte. On n'échappe pas à ses racines, à ce passé pour les autres.

Faire comme s'il n'y avait pas la suite. La suite, c'est moi, ma mère, l'enfance. Arriver à se détacher quand l'autre est mort et mal aimé par d'autres, ceux qui ont pignon sur rue ; l'abandonner ? Comprendre que la séparation n'est pas un abandon. Accepter l'éloignement sans qu'il s'apparente à une victoire des autres. Les autres, toujours les autres. Ce visage étonnant du monde qui ne nous ressemble pas, que mon père a transformé en monstre à force de nous bâtir de l'idéal. Nous, c'est maman et moi. Et plus largement les chiens. Et encore les chiens... Baltique lèche la main de Bush et gambade à Latché. Elle a les mêmes fidélités que mon père. Multiples.

J'ai cru pouvoir faire l'impasse. Sera-t-il donc difficile de continuer ma lecture, persévérer avant de me retirer et retrouver cette distance qui m'empêche encore de pénétrer de plain-pied dans la vie ?

Lire aussi des livres de mon père, pour aller plus vite peut-être, mais plus vite que quoi. Quelle est cette urgence que tu déchaînes soudain ? Cette inquiétude. Ce besoin de résoudre. De comprendre.

Papa fut un enfant heureux, je crois. Deuxième garçon d'une famille nombreuse. On ne compte pas les filles à l'époque.

Son frère aîné, Robert, faillit mourir lorsqu'il était enfant. Une maladie grave. On posait François dans un coin, pour s'occuper de l'autre. Dans un coin, le spectre est large. C'est comme ça que maman explique le sentiment d'abandon très fort chez lui.

Les parents vivaient dans le souvenir du frère de la mère, mort à vingt ans à Paris, garçon voué aux plus hautes études, auquel mon père était appelé à ressembler.

Mon père a perdu ses parents très tôt. Il n'a privé sa liberté de rien. Sa capacité d'exister est une insulte à la normalité. Je suis terriblement normale à force de m'en être débarrassée. Je viens d'une espèce douée pour l'adaptation, pas pour la conquête. Papa cite Char quand je préfère Verlaine, « Ce qui vient au monde pour ne rien troubler ne mérite ni égard ni patience ». Ça lui va bien.

Il est en partie élevé par sa grand-mère, à Touvent, puis, très vite, il part pour le pensionnat. Où l'attendent les froides soirées d'hiver, les dortoirs mal chauffés, le réveil à six heures pour la messe.

Aller à Angoulême, pour me rendre compte. Voir où a vécu une famille, à laquelle j'appartiens, par lien direct, dont je ne sais rien.

Je lis les pages qu'il consacre à son enfance, imagine la joie de ces grandes familles où l'ennui est un plaisir, la mort un accident qui ne perturbe pas le cours des choses, le temps extensible, le désir de vivre inépuisable.

« À table, pendant nos repas où nous étions rarement moins de douze, il était interdit "de dire du mal des autres" et de "parler d'argent". » Ça me suffit. Finalement sa famille ressemblait à la mienne.

Son père à lui, il en parle ainsi : « si je cherche à me représenter ce que peut être un homme juste, c'est à lui que je pense. Je crois que j'en veux encore à cette société aux postulats glacés qui ne demandait pas d'amour et ne voulait pas de justice, je crois que j'ai attendu et espéré au fond de mon enfance le choc qui l'ébranlerait ».

Alors lui, le fils, est allé au bout de ce qu'il aurait voulu pour son père. Le renoncement des parents est une chose impensable, la faille de l'admiration aveugle où vient se loger la pitié. Et la pitié est toujours honteuse lorsqu'il s'agit d'un père ou d'une mère. Papa a chassé en lui le sentiment de pitié. Il a voulu une société qui rende justice à son père, qui l'aurait accueilli sans l'acculer à la contradiction. Le venger pour effacer la peine.

Cette société aux postulats glacés, il ne l'a pas changée, un peu quand même. Elle condamne encore le crime d'adultère.

Sa description de Jarnac parle des ormes et des abeilles. On y a chaud. Moi, je ne m'y rends que les huit janvier. Un temps de cimetière, la bruine glaciale à la sortie du train. Trop de monde, les compartiments ne savent pas se réunir. Personne ne connaît le même homme, n'a vraiment envie de le partager.

Je ne vais pas faire semblant de croire qu'une biographie va faire resurgir mon père, en condensé, en résumé ou en grande ligne.

Pourtant j'y découvre quelques-unes de ses lettres. Elles m'émeuvent et me perturbent. « *Je ne veux pas la retenir, ni qu'elle souffre par moi... Si elle vous paraît faible, insouciante du mal qu'elle me fait, sachez surtout qu'elle souffre intensément...* » J'ai l'impression d'avoir ouvert la mauvaise enveloppe, de surprendre par la porte une scène interdite. Transgression. Ces mots sont pour d'autres, ces mots sont autres, l'amour passionné s'écrit différemment de l'amour paternel, les lettres rares, qui m'étaient destinées, étaient dépourvues d'inquiétude. Je n'allais jamais le quitter.

Pas plus qu'il ne me livrait son intimité, je ne lui livrai la mienne. Cela n'appartenait qu'à moi, ses pensées secrètes n'appartenaient qu'à lui. Et personne ne pourra partager la connaissance profonde que j'ai de l'homme, du père.

Longtemps je l'ai cru sauvage, appréciant plus que tout notre intimité à trois à l'abri des regards. J'apprends qu'il fut mondain, danseur, charmeur... Il en était revenu en même temps qu'il acceptait que je naisse. Je l'ai enfermé dans une recherche de silence et de vérité, qui était celle de ses soixante ans. On fait toujours l'économie de la vie de ses parents. Il a cheminé longuement pour parvenir à celui qu'il était devenu.

Son passé, la mémoire familiale, tant qu'ils ne seront pas un peu les miens, je ne parviendrai pas à les défendre. À défendre sa fille non plus, la Mazarine des magazines.

Je vais donc à la rencontre de mon père jeune homme, prétendant potentiel, plus occupé de sa vie politique que de ses amours.

On dit qu'il a mené plusieurs existences.

Enfant, j'avais l'impression de toutes les embrasser. Et si je m'étais trompée ?

Me voilà donc face à mon père. Mais il a vingt-trois ans. Et une prose luxuriante. Des convictions plus douteuses, guidées par des fidélités familiales, ou plutôt dépendantes d'un milieu : l'homme libre n'est pas encore né. Son aspiration à la liberté est déjà là certes, mais il n'a pas matière à lui donner un contenu. Il est encore informe, bouillonnant, attiré pour des raisons autant affectives qu'intellectuelles par-ci, par-là ; il ne s'est pas trouvé. Mais il ne s'arrête pas à ce flou qu'il sent en lui comme autant de promesses. Non, il se cherche. Je suis plus âgée que lui, et à ce titre peux le juger. Même si l'époque n'est pas la même, même si notre génération est oublieuse des tabous et des inhibitions de l'entre-deux-guerres, de la sévérité de l'éducation, du cadre rigide de pensée qui permet encore la transgression ou la stratégie du détournement. Je découvre amusée ses nombreux articles, sa passion pour une poésie un peu désuète, des auteurs dont plus âgé il s'éloignera, sa rhétorique de jeune homme exalté, mais aussi sa réserve et son intelligence. Ambitieux, fier, orgueilleux, mais écorché, trop désireux d'exister pour contenir son élan, obligé de se retrancher dans une retraite solitaire pour apprivoiser la patience. La vie le déborde, la vie lui fait commettre quelques erreurs de précipitation, mais il y a aussi sa famille, sa mère morte trop jeune, sa grand-mère adorée, l'ombre du jeune oncle mort à vingt ans au lycée Henri-IV. Celui-là même où je ferai mes études. Par hasard.

De droite, il flirte pourtant avec des réseaux nationalistes et extrêmes ; j'ai la tentation de lui en vouloir, je le veux idéal. Mais il ne peut avoir fait l'économie du temps de la recherche de soi. Ceux qui arrivent à eux-mêmes sans détour sont suspects d'inauthenticité, de génie ou de paresse. François Mitterrand était sans doute un peu laborieux, mais il venait de loin ; mes origines, une famille généreuse, bonne, mais conservatrice.

Je reconnais déjà son art de la dérision, son art silencieux de la provocation, son plaisir de déranger, son mépris de la couardise. Jeune François amoureux, jeune papa enfantin, qui ne soupçonnait pas alors qu'un jour il aurait cinquante-huit ans et une fille. Mais cinquante-huit ans ce devait être pour lui, à la veille de la guerre, l'âge impossible, l'âge inaccessible, la vieillesse avancée ! Ce n'est pourtant qu'après qu'il devint président. À cinquante-huit ans, un homme peut commencer une nouvelle vie.

Je l'ai aimé pour sa sagesse et son invulnérabilité. Je le découvre fort peu sage, incertain, pourvu de ces défauts qu'il tenta de m'épargner. À qui ai-je donc à faire ? Mon père, qui est une négation et une continuité du jeune homme de vingt-trois ans, ou ce garçon bourgeois et doué qui sait obscurément qu'il débordera les cadres de son destin, mais qui en attendant s'abîme un peu dans des erreurs qui auraient pu être lourdes de conséquences et qui l'ont été aux yeux de procureurs de quarante ans ses cadets.

Ce qu'il écrit à propos de lui-même alors qu'il n'a pas vingt ans : « Quand je pense à mon destin, je n'y découvre qu'incertitudes. Je ne sais qu'une chose : vivre hors de l'habitude et porter au maximum l'intensité de vivre. » Il se construit, avec et contre, mais toujours se choisissant. D'autres se laisseraient construire.

Bien avant moi, papa fut qualifié d'« illégitime ». Illégitime parce qu'à gauche alors qu'il venait de la droite ; illégitime à gauche parce qu'il a créé un nouveau parti qui n'était ni la SFIO ni le PSU, illégitime parce qu'il n'était pas en Angleterre quand il était prisonnier, et parce qu'il est passé par Vichy, illégitime parce que n'étant pas affilié... Il a su trouver une légitimité en lui-même, cela en revanche ne se transmet pas. Mais pour ça aussi, bien sûr, il était illégitime.

Aux yeux de l'auteur, chacune des décisions de François Mitterrand, jeune loup moins charismatique que de Gaulle et moins intègre que Mendès France, semble suspecte : suspecte d'être insincère, suspecte de répondre plus à un opportunisme qu'à des convictions, suspecte en général. Cet *a priori* négatif ne me surprend pas. Mon père exaspère ceux qui cherchent à le cerner. Il avait fait de la frustration un art. À ne pas se donner, il contrariait l'avidité des gens, et peut-être même de ses plus chers amis, semant ainsi les rancunes.

Très vite, il a réussi à s'attirer de terribles haines, affaire des fuites, affaire de l'Observatoire. On le calomnie. Parmi ses amis, certains doutent de lui et s'éloignent. Mon père songe au suicide.

On a menacé de mort ses fils, je n'existais pas encore. On a brisé son honneur et sa philanthropie.

Et puis cette haine m'a intronisée sa fille, son héritière.

Voyages, politique, fêtes, mondanités, la vie de François Mitterrand. J'étais dans le camp retranché, le couvent, la prison, le lieu de pureté et de silence, où l'amour se dit sans adjuvant. J'ai rejeté le monde. Il n'était pas bon pour moi. Je n'avais le choix que d'aimer ce qui m'était donné. D'en faire une religion, avec théories et conviction. Le monde ne peut être bon puisqu'on m'en a ôtée.

Il m'avait semblé que mon père voulait m'en protéger pour de bonnes raisons : ce monde ne valait pas la peine d'être connu puisqu'il ne me l'avait pas présenté. La bulle idéale finit par se transformer en prison. J'en sortis, affrontant sans armure ses violences, celles qu'on réservait à mon père, puis à moi parce que sa fille. La réalité aurait pu me plaire. Mais tant que j'occultais celle de mon père, elle me demeurerait hermétique, voire hostile. Quelle réalité possible lorsqu'on ne connaît pas ses racines, lorsqu'on les nie, lorsqu'on fait tellement bloc avec son père dans le regard des autres et de soi-même qu'on ne peut revenir en deçà d'un lien spolié par les autres ?

Tout de même, cette haine, il est vraiment dommage qu'elle tombe pile sur celui que moi, j'aime.

Éprouver l'injustice de la situation est la marque de mon immaturité. Mon père ne répondait pas aux attaques, il laissait passer les articles, ne faisait pas de procès. Personne ne lui volait son image, il l'avait déjà construite et les insultes sont la contrepartie de l'engagement politique. C'est la règle du jeu. Quelqu'un qui maîtrisait aussi bien sa vie savait ce qu'il livrait en pâture à ceux qui écriraient sur lui.

Mais, à trop vouloir le haïr et à blesser mon orgueil filial, ne m'a-t-on pas obligée à le défendre ?

Je ne sais pas ce que je cherche. Connaître mieux celui que j'ai aimé ? Mon amour n'est pas en jeu. Et je ne souhaite rien que de laisser aux énigmes leurs qualités d'énigmes, au mystère du personnage sa force et sa séduction. Ce sont les passions qu'il a générées et génère encore dans le cœur des autres qui m'intriguent. Peut-être se seront-elles pacifiées quand tu seras en âge de comprendre. Faut-il le souhaiter ?

Je referme l'ouvrage, troublée. Pour voir mourir une fois de plus celui dont il m'est difficile de faire le deuil. Son visage apparaît régulièrement sur les chaînes de télé, son nom est sans cesse cité, souvent à son détriment. Un personnage public ne peut mourir complètement. Je le vois parler, marcher, comme s'il était vivant. Mais quand le livre s'achève, c'est à nouveau notre dialogue qui se rompt. Je voudrais le continuer, par-delà les chapitres. Et seul le silence m'attend. Le faire revivre par mes lectures n'est qu'un leurre auquel je me prête avec réticence, pour ne pas laisser libre cours à des espoirs absurdes. Le son de sa voix sur des bandes, le style de sa plume dans des lettres retrouvées, rien de cela ne l'exhumera, lui qu'aucun ouvrage ne parvient à ressusciter.

Mercredi 18 juin. Gordes, toujours

Toujours cette chaleur accablante. Je reste enfermée dans la maison. Ma chienne préfère le soleil, je ne la comprends pas. Je vérifie que son ventre se soulève pour m'assurer qu'elle n'est pas morte.

Les animaux ont été mes compagnons de silence. Les chats, les chiens et les chevaux, un lapin, une grenouille. Je la nourrissais de vers de terre. Depuis je me méfie de l'élément aquatique. Je ne l'ai pas gardée longtemps. La tendresse même à revendre a des limites. La projection doit rester vraisemblable.

C'est vrai que mon père était représenté par une grenouille au Bêbêtes Show. La comparaison s'arrête là.

Peut-être vendrons-nous la télévision quand tu arriveras. Ou ton père t'expliquera. Moi, je ne peux pas voir tes lèvres se plisser dans un rictus de souffrance. Je ne peux pas voir le premier impact qu'aura l'injustice sur ton regard vierge et confiant. Je ne peux pas te voir revivre ce que j'ai vécu.

Jeudi 19 juin

Chaque jour, j'ai l'impression que mon ventre s'arrondit. En réalité, c'est imperceptible, je prends des kilos pour me gruger moi-même, j'essaye de te rendre concret.

J'ignore comment la vie peut progresser à l'intérieur de mon corps.

Porter un enfant, le mien, que je ne connais pas, l'aimer déjà, en aveugle, s'interroger sur cet amour imprudent, dont l'objet est un projet, une vie qui se développe en moi et indépendamment de moi, parfois douter de cet amour, puis souffrir de ce doute, et se rendre compte qu'il est difficile d'aimer un être dont on ignore tout, sinon la part de soi-même, qui n'est sans doute pas la plus aimable, puisque c'est de l'absolue nouveauté que j'attends la rencontre. Assister aux transformations de son corps et tâcher d'y prendre part, même si l'on est toujours en retard, en retard sur l'immaîtrisable, en retard sur la puissance brute de la vie, en retard même sur ses instincts. Apprendre enfin à se réconcilier avec cette étrangeté intérieure. C'est une chose que ne peuvent connaître les hommes. Ce corps même et différent. Quand l'autre s'insinue en eux, il ne peut s'agir que de maladie. J'ai porté tellement de maladies imaginaires qu'il faut que j'accepte que cette atteinte à mon intégrité n'en est pas une, que cette transformation, douloureuse souvent, fatigante, n'est pas signe de mort mais de vie. Avoir toujours vécu son corps malade ne le prédispose pas à cet épanouissement. La nature est chez moi brouillonne, je l'ai habituée à tellement se contraindre.

On ne m'a parlé que de l'émerveillement de cette expérience, jamais de sa difficulté.

Encore un signe de ma déficience. Ou de mon anormalité ?

Et si j'étais une mauvaise mère, une égoïste, une incapable ?

Va-t-il falloir que je me découvre aussi cette monstruosité ?

Mais toute cette tendresse, qui repose là, comme la couche primitive qu'aucune éruption n'a encore fait éclater, cet amour dont la sauvagerie a été refoulée et que parfois je sens en tumulte, lointain encore, frustré déjà. Ce ne serait là que des rêves, des chimères, une croyance héritée du corps, du corps des femmes qui m'ont précédée ?

J'ignore ce que tu me feras découvrir de moi-même, et ce n'est que de cela dont j'ai peur. Quant à toi, l'impatience de te rencontrer me réveille chaque matin. Libère-toi de moi. Ce sera de toute façon ta seule manière d'exister.

Vendredi 20 juin

La chaleur est de plus en plus insupportable. Juin, la canicule est déjà là, tenace. J'ai souvent sommeil. Je résiste. Une sieste ne va pas sans culpabilité. J'ai été fabriquée par l'industrie de la mauvaise conscience – à la chaîne, lycée, concours, maman hyperactive. On ne « gâche » pas le temps.

Les minutes sont soumises à une économie serrée au profit d'une rentabilité maximale. Ma mère est l'antithèse d'une terrasse de café au soleil. Au téléphone, si le message a été transmis, il n'y a plus rien à dire. Bonjour est devenu inutile. Son dernier message sur mon répondeur : « Où es-tu ? » – fin de conversation. Art de la litote : où es-tu = que fais-tu, pourquoi tu ne m'appelles pas, ça fait longtemps que tu ne donnes pas de nouvelles, je t'en veux mais ne te le dirai pas, j'ai décroché le téléphone la première, mais je m'inquiète quand même, je vais très bien merci comme tu ne me le demandes pas je ne te le dirai pas, d'ailleurs même si tu me le demandais je ne te répondrais pas donc rappelle mais pas quand je suis en rendez-vous et surtout pas trop longtemps, un peu bien sûr sinon... mais là je la coupe, ça devient trop long. Et je m'allonge à l'ombre, pour reprendre ma lecture.

Elle a raison, le téléphone est une intrusion.

Maman ne cesse jamais de travailler, même en vacances. Si vraiment elle n'a pas d'exposition à préparer, de catalogue à écrire, d'article à rédiger, de thèse à corriger, pendant la semaine annuelle qu'elle vole au musée d'Orsay, elle s'invente des obligations jardinières ou des restaurations de murs en ruine.

Papa, vainement, faisait dans la formule, *il faut donner du temps au temps*. Avec lui, c'est vrai, elle acceptait d'en *perdre* un peu, de son temps. L'amour crée de ces abandons.

Qu'ont-ils vécu de si extraordinaire que cela doit être tu ? Qu'elle ne parle pas à d'autres, puisque tout le monde est une menace pour elle, c'est un choix de vie, qui n'a pas d'autre raison que d'avoir été pris. Mais à toi, je sais qu'elle se livrera.

Elle est notre mémoire.

Ma mère n'a jamais demandé d'aide à personne. Elle souffrit parfois de mon silence ; à la mort de mon père, j'essayais d'être la plus présente possible, mais résistais devant notre commune tentation de néant. J'avais à vivre, pas pour moi, pour lui qui venait de nous quitter, pour toi qui adviendrais un jour. C'était la seule chance de le continuer. Il ne mourrait pas tout à fait. Je n'ai pas toujours été à la hauteur. Je ne parle pas de mes actes ou de mes productions, je parle de ma capacité d'exister. Mes productions... depuis qu'il n'est plus là, elles se devaient d'être parfaites, après tout, qu'étais-je d'autre qu'un symbole ? Est-ce qu'un symbole écrit ? Les erreurs devinrent des crimes, les manifestations publiques de la prostitution.

Fille de mon père, je me devais pour ma mère de

me taire ou d'être exceptionnelle. À vingt-trois ans, elle ne m'offrit pas le temps de le devenir. Alors je le pris, ce temps, traversant les tempêtes médiatiques qui m'étaient réservées, comme une dette à payer, ou comme un destin. J'étais tellement exposée que j'éprouvais la nécessité de mettre du contenu sous ce nom, cette image. Les actes de cette époque tenaient beaucoup à ma névrose, aussi n'étaient-ils pas « intelligents » : livres, publications, peurs, refus d'interview, réclusion dans mon Sud natif, blessure profonde qui ne se refermera pas. Je me sentais prise au piège. J'avais écrit, publié, et pas un moment de joie, sinon dans l'écriture. Tout bonheur, toute fierté, m'avaient été volés avant que je pusse en profiter. Je garde en mémoire mes deux premiers livres comme deux grandes peines, comme deux affronts, deux larmes qui brûlent, que je conserve. Allez dire votre tristesse de vous voir ainsi éconduite, vous la petite fille gâtée, l'enfant de l'Élysée, symbole de toutes ses outrances, celle qui fut la ruine des contribuables, qui n'eut qu'à écrire pour publier... Non, cela ne s'est pas tout à fait passé de cette manière, mais à quoi bon contredire. La faille est là, prête à se rouvrir au moindre signe. On m'a refusé d'être, et j'ai suivi l'injonction. Je ne me croyais pas aussi faible, et c'est en cela que je déçois mon père, c'est aussi ce que je cache à ma mère. Elle ne sait rien de ma fragilité.

Je suis coupable. Coupable d'exister – illégitime –, coupable parce que cachée – trop moche ? trop bête ? trop ressemblante ? –, coupable parce que honteuse, coupable parce que traître – j'ai choisi de vivre plutôt que de me souvenir –, coupable d'apparaître – prétentieuse –, de publier

– profiteuse –, coupable d'être l'aimée – désolée pour les autres –, coupable socialement, affectivement, coupablement. Tout le monde est d'accord.

Je te désire, toi, l'enfant, mais t'infliger ce poids me fait peur. Survivre est parfois une énigme. On ne mesure pas sa force. Ni sa faiblesse dans les moments où on ne l'attend pas : les heures creuses, les années molles, les époques où l'on disparaît pour supporter, où l'on cesse de vivre pour ne pas mourir.

Dimanche 22 juin

La tempête arrive. Mais les gouttes s'espacent. Ce n'est qu'une fausse alerte.

Nous passons par Saulzet, ma cousine se marie. Dans la maison familiale, où nous avons tous passé notre enfance. À Saulzet, ce sont les champs d'herbe chaude, l'odeur du foin, les lacs d'Auvergne, glacés, les piques-niques et les promenades sur les puys, les descentes dans la pouzzolane, les goûters devant la cuisine, sur la table en bois, là où le soleil frappe, les repas, longs et bruyants, les enfants ayant conquis des droits qu'ils n'avaient pas à la génération précédente.

Je ne suis pas retournée depuis longtemps dans cette maison de mon enfance. Seule reste intacte une émotion, lorsque la voiture arrive au dernier virage, que je reconnais chacun des arbres et devine les formes de la maison qui se dessinent derrière le mur. Elle est là, aussi, à l'arrivée villa Lohia : le pont d'Hossegor, puis l'hôtel Beauséjour, quelques villas aux façades immuables, encore deux cents mètres, et c'est le portail, la voiture se gare, on descend, une odeur de pin vous assaille, je cours vers la terrasse... Et c'est fini.

L'univers de mon enfance est mort.

Partout, des lieux déserts. Chez ma mère, plus de bruit d'enfance, plus de désordre. Le Frigidaire est vide, et les tomettes vernies. Je porte en moi une nouvelle enfance. Comment lui épargner la nostalgie de la mienne ?

Je n'aimerais pas recommencer l'enfance. J'ai été heureuse, pourtant. Quand je croise des enfants, j'ai de la peine pour eux. Je ne devrais pas te le dire. Mais les imaginer, bientôt adolescents, et tout ce poids du monde entre des mains fragiles. Te faire c'est encore croire que ta vie sera plus forte que mes souvenirs, et qu'avec toi ils retrouveront des couleurs. Mais anticiper chaque peine contre laquelle je ne pourrai rien faire, imaginer ces cours d'école et ces abandons à venir, ces petites blessures dont tu ne diras rien, parce qu'elles commenceront à sceller notre séparation. C'est difficile, tu sais, de se convaincre que tu ne vivras pas ce que j'ai vécu, parce que tu ne seras pas moi. Mais c'est tellement rassurant.

Les personnes que j'ai aimées m'ont souvent fait de la peine, comme si les aimer impliquait qu'elles souffrent. Et cette souffrance, supposée ou réelle, je ne la supporte pas, tout en la portant. Et je porte tes possibles tristesses, les douleurs dont chacun se charge sans me demander de les partager, et déjà tu te bats pour chasser ces intrus qui prennent trop de place, ces métastases de la culpabilité, ces poids inutiles, et morts sans doute, et tu rencontres la mort, dans le ventre de ta mère, avant même d'en trouver la sortie, et je suis coupable déjà d'avoir si peu fait place nette, parce que aucune place n'est nette, parce que je me mets à celle des autres, tu vois comme je sais faire confiance, je ne leur octroie pas le pouvoir de surmonter leurs peines, alors je les prends sur moi, comme je prenais sur moi les possibles bafouillages de mon père à la télévision, comme je prenais sur moi ses blessures secrètes, pour les atténuer. Ma toute-puissance, mise en échec, a laissé des cadavres, des détritus de douleur, échoués le long de mes organes. Je te demande pardon. Je suis polluée.

Lundi 23 juin

Tous ces discours de femmes qui disent n'avoir jamais été si heureuses, si épanouies, que pendant leur grossesse.

Je n'entends qu'elles, pourtant à l'affût d'une sœur en doute.

Je ne la recevrai pas. Ce qu'elle me dira sera pire.

Ce n'est pas un état malheureux, c'est un état étrange. Il faut être assez camarade avec son corps. Même à Gordes, sous le soleil, et sans avoir à le montrer, il m'encombre.

Pardonne-moi, enfant, je retire ce que je viens de dire, mais j'ai peur, vois-tu, j'ai peur pour toi, et des détresses que la vie charrie, j'ai peur de moi, j'ai peur de ma peur. Je me hais.

Je colle mon regard dans le miroir, ne le détache plus jusqu'à devenir folle.

Mazarine, Mazarine, Marie, Mazarine. Ces deux prénoms que j'ai portés. Que j'ai choisis aussi, pour adhérer un peu plus à l'anonymat, préféré toujours à la lueur de curiosité, parfois, dans les regards. Bientôt mes traits se relâchent, ne dessinent plus un visage, disparaissent. Je me perds, la voix que j'entends répète en boucle des prénoms qui ne correspondent plus à rien, ni au visage, ni à la voix. Elle sort, toute seule, s'abîme dans le vide, le miroir, l'étrangère. La présence qu'il y a là va s'évanouir si je ne récupère pas un fil, un je, un regard. Il faut qu'une porte claque, au loin, pour que je revienne à moi, Mazarine, tu es là, n'oublie pas, tu es là, et le monde retrouve ses formes, Mazarine, grâce à ton regard qui s'est reconstruit. Tu sors de la salle de bains, tu perds l'équilibre, passes la main dans tes cheveux, c'est indéniable, tu existes. Les autres aussi, Marie, parfois même Louise, les autres Mazarine. Il suffit qu'on t'appelle, tu es rassurée. Personne ne saura que pendant quelques instants tu as cessé d'être. C'est la preuve que tu n'es pas chimère.

Vendredi 27 juin. Paris

Aujourd'hui, nous sommes allés faire la décla-
ration de naissance anticipée à la mairie, c'est-à-dire
l'acte de reconnaissance que ma mère a dû signer
seule, et que mon père a dû compléter dix ans plus
tard. Dans le formulaire, il faut donner nom, prénom, date et lieu de naissance, préciser si la mère
le reconnaît seul, ou le père, si l'enfant reconnu est
à naître, en vie, ou mort. Papa n'a pas eu à cocher
la case « en vie », j'avais dix ans. Est-il allé à la
mairie lui-même, lui a-t-on apporté l'acte, en avait-
il besoin, y a-t-il une clause de confidentialité ? Il a
dû se débrouiller autrement.

Ton existence administrative, déjà, avec ces men-
tions élémentaires, les plus compliquées.

Lundi 30 juin

Bientôt quatre mois de grossesse... Mon ventre s'arrondit, mais c'est imperceptible. Le temps des choses. Le temps du corps. Le rythme biologique. Tout ce que la volonté veut abolir montre son droit, son évidence, son entêtement.

J'essaye de te parler, mais tu ne réponds pas, pas encore, je sais par intuition que tu es un garçon.

Dimanche 6 juillet ?

Nous sommes en juillet, je ne sais plus quel jour.
Il m'en reste quatre pour faire nos adieux.

J'ai perdu mon enfant.
Tu n'es pas mort, tu vis encore, à l'intérieur de mon ventre, qui ne peut plus t'accueillir, dont il faudra t'expulser.
Le temps de te dire au revoir.

J'ai vu mon père parler. Il était mort cérébralement.

Il y a comme ça des coïncidences.

Savoir que tu vas mourir n'équivaut pas à déjà mort.

Jeudi 3 juillet

Les radios répètent en boucle l'info lancée par *Paris-Match*, photos volées à l'appui : « Mazarine, un heureux événement. » Je reçois des appels de félicitations.

À l'hôpital pourtant, je me suis inscrite sous le nom de Marie Fayolle, patronyme de mon arrière-arrière-grand-père.

Marie Fayolle, à l'hôpital, n'attend pas avec les autres femmes. Dissimulée derrière un pilier, elle devise avec son compagnon, on la fait entrer par une petite porte – derrière, peu importe son nom. Son médecin la connaît, c'est ce qui compte. Il faut éviter les fuites.

Ces appels de la famille éloignée et des amis, j'y réponds gênée, qu'ils ne l'aient pas su par moi, j'enrage.

Je suis pourtant prête à me travestir une dernière fois, pour toi, qui naîtras d'un troisième nom. Mais pas tout à fait anonyme.

Et puis tant pis pour Marie Fayolle, elle se chargera de ce que j'aurais pu subir.

Marie déjeune à l'Étienne-Marcel, a oublié de fermer son portable, répond. C'est la maternité. « Un taux anormal dans votre sang, il faudrait faire une nouvelle échographie. Mercredi prochain par exemple ? » Non, tout de suite, on n'attend pas avec un taux anormal dans le sang, même si le médecin dit que cela peut ne rien signifier.

Elle prend un café avec une amie, l'insouciante, au Père tranquille, ironique enseigne, laisse un message à son compagnon pour qu'il la retrouve dans ce même café. Ils iront ensemble à l'hôpital, on ne sait jamais.

Dix-sept heures trente. Ils sont bloqués dans les embouteillages. Quelle idée de prendre la voiture, un samedi. Sur les trottoirs la foule. Ils garent la voiture devant la Samaritaine sur une place interdite et s'engouffrent dans le RER, aux Halles. Ils courent, pour ne pas être en retard, mais c'est déjà un peu trop tard. Leur chienne les attend toute seule sur le siège avant, les flics n'embarqueront pas la voiture, pas avec les yeux qu'elle leur fera, à pleurer. Arrivée à l'hôpital, en sueur, les mains moites, tous les deux. Ils ne parlent pas. Le docteur les reçoit tout de suite. Les accompagne dans un autre bâtiment où les attend, prévenu, un jeune médecin spécialisé en radiologie. Marie retire ses vêtements et s'allonge. La machine s'avance vers elle. Elle ne peut rien y faire, il faudra bien savoir, voir, en noir et blanc, mais elle ne voit rien, sinon le visage du médecin, elle entend son silence. L'examen dure trois quarts d'heure. Le moniteur s'enfonce dans son ventre, fouille, glisse. Elle fait taire ses pensées. Son compagnon observe le radiologue, les traits tirés. Pas la peine d'interpréter l'écran, son visage suffit. Vient le pronostic. Le bébé est normal, on craignait un décollement de la colonne vertébrale. Mais. Il se racle la gorge. Il n'y a plus du tout de liquide amniotique. Plus de liquide ? On peut en remettre, n'est-ce pas ?

Un fœtus ne peut se développer sans. Avez-vous perdu les eaux ? Marie ne s'en est pas aperçue. Elle qui d'habitude garde tout, bien fermé, et lâche au compte-gouttes. C'est peut-être ça, le compte-gouttes. Ou ils se sont trompés. Trois quarts d'heure d'examen. Non. Ils n'ont pas pu se tromper.

Impossible de déterminer la cause pour le moment. Il va falloir attendre quelques jours, quelques jours de sursis. Pourquoi, se demande Marie, c'est qu'il y a une chance ? Le médecin soupire, on ne sait jamais.

Marie, malgré ses questions, a compris que non, que c'était la fin.

L'obstétricien lui prescrit du Lexomil pour dormir. Son compagnon s'évanouit sur la table. Le visage du radiologue, tout à l'heure, quarante-cinq minutes de ce visage. Le père aussi pourra en prendre. Du Lexomil en famille, à deux et déjà plus à trois. Ils sortent, en apesanteur. S'arrêtent à la pharmacie. La pharmacienne demande à Marie si elle est enceinte, avant de lui tendre la boîte. Marie ne sait pas quoi répondre, allez, pour la dernière fois, oui. Ils descendent les marches de la station Denfert-Rochereau. Et le monde s'écroule. Elle n'a pas conscience de ses joues, mais elles sont inondées. Son bébé a quatre mois, son ventre est gros déjà, ses seins lourds. Elle le sent bouger. Dans la sécheresse de son ventre, il se débat.

Les jours qui vont suivre seront étranges. Ils décident de ne rien changer, dînent le soir chez leur architecte, qui vient d'avoir un bébé prématuré. Marie va caresser la petite fille, lui parle, sans se forcer. C'est mieux ainsi, ils boivent, parlent de tout, racontent, sans faux-semblants, sans honte.

Le lendemain, sa mère leur rend visite. Elle est malheureuse, pour Marie, pour son bébé, pour elle, parce qu'elle se voyait déjà grand-mère.

Ils partent pour le Sud, comme convenu. Ce sont les derniers jours du bébé, ceux de leurs espoirs, de leurs projets.

En attendant, grâce à *Paris-Match*, le monde appelle pour la féliciter...

Mercredi ils ont rendez-vous pour une dernière échographie. Ensuite, les choses iront certainement très vite. Un avortement thérapeutique. Puis le Sud à nouveau, le repos, le deuil ; son corps est difforme, ce ne sera pas celui d'une jeune fille, mais d'une future mère sans bébé. Attendre, attendre. Plus tard, peut-être, elle aura oublié. Pour le moment, le présent s'impose avec acuité. Les épreuves ne s'arrêtent jamais. Marie a l'habitude de combattre, encore et toujours, mais elle est fatiguée, a peur de ne plus savoir faire confiance à la vie, a peur d'avoir toujours peur, de ne pas se débarrasser du sentiment de mort, qui se réveille quand il est question de la vie. Pourquoi les choses ne se passe-raient-elles pas normalement, pour une fois, juste une fois ?

Peut-être n'est-elle pas capable de fonder une famille, d'aimer ses enfants sans craindre à chaque instant pour leurs jours ? Le destin s'en mêle, on ne peut s'empêcher d'interpréter ses signes. De quoi la punit-il ? Au fond d'elle, elle le sait, qu'elle aura toujours quelque chose à payer. Qui ne sait pas qu'il est coupable ?

Pas de liquide amniotique. Elle l'a laissé s'échapper, n'a pas su le retenir. La prochaine fois, elle serrera les jambes.

Elle va devoir apprendre l'absence de l'enfant. Il n'est pas né mais il est mort. Peut-être n'aurait-elle pas dû lui parler avant qu'il existe ? Dans son ventre, un vide bientôt, mais un vide dessiné, une place. Se débarrasser de la place, à l'intérieur. Espace vacant, femme hors d'usage, fonction blo-quée.

Son ventre est gros, ses jambes se sont alourdies, ses yeux se sont cernés, elle est un corps autour d'une béance. Lorsqu'elle se sera refermée, remplie d'organes, à elle cette fois, songera-t-elle encore à son manque ou cette absence se dira-t-elle autrement, dans la chambre, chez les grand-mères redevenues mères où l'accueil était préparé ? Rayer les accueils, rayer les images, remettre le bureau à la place du futur lit et rayer les futurs. Pour l'instant.

Réorganiser l'espace, gommer les marques d'une possible présence.

Un miracle est toujours possible. Marie porte encore en elle son enfant. Mercredi, elle saura s'il faut commencer à s'habituer. En attendant, elle lui parle, il lui répond enfin, petits mouvements à la surface lisse de son ventre. Elle le prépare lui aussi à la nouvelle, s'il faut qu'ils se séparent, autant profiter de ces derniers moments. Marie a toujours vécu en sursis, petite déjà, le quotidien était suspendu à un terme. Les gens qu'elle aime meurent parfois. Cette loi, au fond, elle y a toujours été soumise. Non, ce qui la surprendrait, c'est que la vie des autres dure.

Il fait chaud, le soleil n'a aucune indulgence.

Mardi, Marie et son compagnon rentrent à Paris. Elle a peur, un peu, fataliste, débusque l'espoir avant qu'il ne lui joue des tours. Dans le train, elle lit *La Tache* de Philip Roth. Les livres souvent sont au courant de ce qu'elle vit, elle tombe sur cette phrase « Elle voulait connaître le pire. Pas le meilleur, le pire. Par quoi elle entendait : la vérité ».

Marie voudrait que le train continue de rouler pendant des jours, des mois, une année, et qu'il traverse avec elle le mauvais songe qui la tient éveillée.

C'est dimanche, jour du Seigneur, veille du 14 juillet, on se prépare à la fête.

Il y a eu l'avant-veille, et le Seigneur ne peut rien racheter.

La nuit, le jour, la nuit, trente-six heures déjà.

Avant, pendant, après.

Avant : le corps qui tremble dans l'immobilité, les gestes devenus difficiles, les journaux qui traînent, le livre interrompu, pas beaucoup de sourires, pas beaucoup de paroles. Juste cette crispation dans tous ses membres et cette révolte sourde qui la rend agressive.

Pendant : ça dure des heures. Réveil à six heures trente, pas de petit déjeuner, elle part pour l'hôpital. Fayolle, Marie, âge, numéro d'inscription. Des identifications quand le bébé meurt en anonyme. D'ailleurs quel nom aurait-il porté ?
L'ange.

Marie entre dans sa future chambre, un peu à l'écart des autres, au fond du couloir. Elle est spacieuse, mais une chambre d'hôpital quand même. Ses mains sont moites. C'est de ne pas savoir ce qui va se passer. Après tout, c'est son premier accouchement. Elle s'est assise sur le lit, et attend. Sa mère et son compagnon essayent vaguement de lui faire la conversation. Une infirmière finit par arriver et lui tend une blouse bleue. Elle entre seule dans la salle d'accouchement. Son compagnon et sa mère ne peuvent venir tous les deux ensemble. Sa mère s'inquiète, elle voudrait la primeur, la main de sa fille et soigner sa souffrance. Son compagnon veut comprendre qu'il ne sera pas père. Il a besoin d'être là. Marie les laisse se débrouiller. Elle veut qu'il soit là, lui, mais sa mère, elle n'a plus qu'elle.
Ils alternent.

Vers dix heures, une infirmière lui plante la perfusion. Son corps réagit à la peur. Un tuyau dans le

179

bras, une intrusion dans la peau, un trou, une brûlure, le sang qui va et vient, le corps relié soudain à l'extérieur, dépendant, la veine qui se continue et se montre dans un tube en plastique, une poche suspendue, une poche, dehors, bientôt une poche dedans, mais vide celle-là.

Marie serre les poings pour leur montrer que c'est encore elle qui commande. Ses poings sont ridicules à lui faire croire qu'elle garde une maîtrise.

L'anesthésiste entre. Elle prépare la péridurale. La peur cette fois la déborde. Les muscles se tétanisent, le tremblement commence, l'absence de douleur aussi, et c'est bien ça le pire.

Marie a la sensation d'être une pierre.

Froideur de la mort.

L'anesthésiste dessine sur son dos les points où elle va piquer. Un graphe, le jeu d'enfant, je t'écris des mots sur la peau, tu devines. Marie ne voulait jamais trouver le mot, la phrase, pour que ne cesse la caresse. D'une petite main sur son dos.

Mais les petits points sont de ponctuation et il n'y a plus de mot.

Petite aiguille insensibilise pour sa collègue plus grande qui transperce et chatouille la colonne vertébrale.

Marie pose des questions, s'intéresse, apprend, joue le savoir contre la peur. Comme toujours.

Elle est maintenant allongée, et son compagnon arrive. Il était temps. Les tremblements s'accélèrent. Le corps est en révolte. Rien ne le calme. L'explosion dure cinq heures.

Il est intolérant quand elle voudrait l'amadouer. Mais bientôt elle est vaincue et lui laisse libre champ, qu'il crève s'il le veut. Elle est trop fatiguée.

Marie n'ose pas se plaindre non plus, a l'impression que sa souffrance est une imposture ou une indécence. Les tremblements de son corps sont suffisamment obscènes.

Alors elle serre très fort la main de son ami. Les sages-femmes, infirmières, anesthésistes, se succèdent. Elles sont si gentilles que Marie a honte de se sentir vulnérable. Elle leur pose des questions, idiotes pour la plupart, comme si les réponses pouvaient l'apaiser. Marie croit en la vertu de la connaissance. Mais, cette fois-ci, elle bute.

Son impatience commence ; celle d'en finir, qui accroît la douleur. Il faut attendre, une demi-heure, une heure, deux heures. Rien ne se passe. On lui donne un traitement pour que les contractions s'accélèrent. On lui réinjecte des doses d'anesthésie. Bientôt ses jambes sont lourdes, elle ne les sent plus. Paralysée, prise de convulsions, impuissante, elle ne parvient plus à parler, les mots sortent hachés de sa bouche, les syllabes ne prennent pas sur sa langue, incontrôlable. S'évanouir serait aisé, il suffirait qu'elle se laisse aller. Mais voilà bien ce qu'elle ne sait pas faire.

Elle tente de fermer les yeux, et fait croire à son corps qu'elle somnole. Il n'est pas dupe. Le sommeil est léger et sans cesse perturbé par les allées et venues des petits personnages en vert, des femmes pour la plupart, avec des voix douces et des gestes sûrs, des traits flous et des paroles normales, je vais m'acheter un sandwich, ce soir je sors... Ce soir. Marie sera seule.

Elle tente de parler à son compagnon, mais ses dents claquent aussitôt, comme pour l'en empêcher. Inutile d'essayer de le rassurer, c'est encore pire.

181

Puis sa mère, qui la regarde dormir à moitié inconsciente. Parce que garder les yeux ouverts demande trop d'énergie.

Le décor est un tombeau éclairé au néon. Il n'y a pas de fenêtre.

Une sage-femme lui demande si elle *éprouve* les contractions. Elle dit oui. Pour faire plaisir. En vérité elle ne sent rien. C'est bien à ça que sert l'anesthésie, non ? Marie pense accélérer les choses ; on parle aussitôt de renforcer la péridurale. Elle aurait mieux fait de se taire.

Vite, fâchée avec la grande aiguille, elle ajoute qu'elle ne craint pas la douleur. Mais c'est une tricherie de poltronne. On ne la prend pas au mot.

Pourtant, elle ne ment pas complètement. C'est de ne rien sentir qui lui fait peur, cette mort répétée pour la prochaine fois.

Le temps ne passe pas.

Finalement vers seize heures – c'est arbitraire les chiffres –, surprise : le bébé est presque là ! On va pouvoir procéder à l'*accouchement*.

Marie est soulagée, oui, la mort, parfois, est un soulagement. Parce qu'il ne va pas crier, c'est sûr, il va même cesser de vivre au moment même où il sortira.

Certaines femmes, elle a eu le temps de se renseigner, restent quarante-huit heures avant de pouvoir *expulser* leur enfant. Elle a de la chance. Finalement Marie a des scrupules à être, encore une fois, privilégiée.

Être à la hauteur de son privilège c'est se taire, et surtout ne pas défaillir. Passive et silencieuse, elle assiste à l'opération – ce que l'on fait endurer à son corps – pour son bien...

Le docteur qui est venu plusieurs fois lui rendre visite et qui est trop gentil pour qu'il y ait un méchant, entre dans la salle et se prépare à trifouiller au fond de son corps muet.

Elle n'aura pas souvent l'occasion de subir sa propre autopsie.

La sage-femme lui demande, avant que la chose sorte, si elle veut voir le bébé, c'est son terme pour le désigner. Marie doit prendre une décision, mais Marie n'est plus là. Shootée par la péridurale. Seule dans la salle d'accouchement, elle a fait appeler le presque-mais-finalement-pas-père pour qu'il revienne vite, mais, lorsqu'il est arrivé devant la porte, on ne l'a pas laissé entrer.

Au bout d'un certain temps, elle entend tomber le son d'un paquet dans le récipient en inox, premier berceau.

C'est lui. Il paraît.

Mais il manque le placenta. Le docteur cherche encore. Il joue à cache-cache, est-ce le moment.

On ne va pas s'acharner. On verra plus tard.

L'infirmière et la sage-femme remettent le lit d'aplomb et les jambes de Marie dessus, les plient, les redressent, les tendent, Marie en Playmobil.

Plus tard, son compagnon est là, à ses côtés, lui tient la main. Elle se souvient – l'enfant ! veulent-ils le voir ? Mais poser la question est un ahanement, il n'y a que des voyelles ! le sexe, elle veut connaître le sexe. Décoder est facile.

Un garçon, elle le savait. Parce que c'est ce qu'elle voulait.

Pas de larmes ici. Trop de fatigue, trop de bonté

autour d'elle. Ça sera pour plus tard, lorsqu'elle retournera à la vraie vie, celle des sandwiches et des sorties.

On la garde trois heures, attendant par exemple qu'une hémorragie se déclenche. Mais Marie a de la veine, est-il nécessaire de le répéter ?

Elle ne saigne pas beaucoup, le sang elle l'a déjà perdu.

Elle s'éveille peu à peu, encore trop faible pour tenir une conversation. On la ramène dans sa chambre, il est bientôt l'heure de dîner et de reprendre conscience. Marie est gourmande, elle ne raterait pas un repas.

Le docteur vient l'encourager, sa voix est une douceur, un pansement. Demain peut-être, la laissera-t-il sortir, elle devra suivre un traitement, ne pas s'éloigner en cas d'hémorragie, encore celle-là, se reposer. Est-ce que Marie veut quitter l'hôpital ? Ce n'est pas sûr. Il faut grimper cinq étages pour atteindre son studio. C'est la canicule et les ventilateurs sont en rupture de stock.

Son compagnon et sa mère lui tiennent compagnie tandis qu'elle dîne. La nourriture est presque bonne, elle n'a pas mangé depuis la veille et puis ça occupe. Quelques visites déjà, de la famille compatissante. Ses proches ont le droit de lui téléphoner. Marie allume la télé, sa mère lui a pris les chaînes du câble. C'est dire son inquiétude. Ça lui fait de la peine, à Marie, de la voir sortir de ses habitudes, elle qui n'aime ni la télé ni le luxe. Ce n'était pas nécessaire, le câble. Elle fait des efforts sa mère, sa gentillesse, à ce point, ne peut vouloir dire qu'une chose, combien elle souffre pour elle. Marie est triste, déjà une fois, elle a vu sa mère essayer de faire croire que non ça allait, elle ne supporte pas. Elle va zapper sur les chaînes du câble, comme fond sonore, pour accepter la souffrance de sa mère, la remercier aussi. Quand ils partiront.

Pour une fois, elle ne se sent pas trop coupable, parce qu'elle a mal, pour de vrai.

Marie a peur de dormir avec la perfusion. Une phobie idiote. L'idée de se retourner sur sa main et d'enfoncer l'aiguille qui transperce les chairs, sans qu'elle s'en rende compte. Plus tard, son compagnon et sa sœur l'aident à se lever. Une impotente, vraiment. Sa mère est partie et reviendra demain. Elle préfère ne pas imaginer quelle sera sa soirée.

Marie ne veut pas aller aux toilettes de peur de voir trop de sang – l'hémorragie, ce mot, l'angoisse de se répandre.

Finalement ils s'en vont eux aussi.

La solitude est pire que le sang, l'épuisement l'accompagne avant qu'elle ne se sente délaissée.

Les autres douleurs continuent de se taire. Elle somnole, mais ne parvient pas à dormir. Lorsque l'infirmière de nuit entre, elle lui demande de l'aider à aller faire pipi, dans le noir le rouge ne se voit pas.

Elle parvient à marcher sans tomber, avec son piquet qui la suit à la trace, un chien fidèle, sur roulettes, l'extension de son bras. Le ciel est clair, la chambre sonore. Elle entend les cris de nourrissons.

Les bébés sont partout, les mères aussi. On lui a donné une chambre seule au bout du couloir, mais c'est quand même une maternité, et les murs ne sont isolés que par la peinture verte. Le soir de son accouchement, Marie n'est pas devenue mère pour autant.

La lune illumine la pièce, il fait chaud, Marie garde les yeux ouverts sur les pleurs ensommeillés des berceaux quelque part. Elle ne souffre pas, son corps somnole dans la léthargie des médicaments.

Le lendemain, après le maigre petit déjeuner, elle arrive enfin à s'endormir. Le docteur, la sage-femme et quelques infirmières entrent. Elle est un objet d'intérêt scientifique et de sollicitude. C'est bon.

Une infirmière lui enlève la perfusion. Elle a mal au poignet, engourdi, mais c'est un soulagement. La circulation reprend en circuit clos, son corps retrouve son autonomie, il avait peut-être encore un peu besoin d'aide.

On lui prescrit les médicaments à prendre, trop de pilules, tailles et couleurs différentes. Marie s'affole, elle n'arrive pas à retenir.

Le docteur lui propose de sortir dans la journée mais de faire attention, elle reviendra le voir trois jours plus tard. Faire attention, Marie déteste faire attention, préfère qu'on fasse attention à elle, toute seule, elle ne peut pas.

La voix du docteur est douce, il l'encourage. Elle sourit bêtement, tête bouffie. Puis elle attend. Elle n'aura que ça à faire, pendant des mois. Devient le bébé qu'elle n'a pas eu, en contemplation sur ce monde nouveau, étonnée mais passive, à remodeler.

En elle, la voix de l'action lui commande de lire, on a assez perdu de temps comme ça. Mais les yeux posés sur des phrases se ferment.

Elle s'endort, tire le voile, s'exile un peu plus loin, sans résistance.

Il ne fait pas toujours bon se réveiller. Marie remplace la perfusion par le téléphone. Elle joint son ami pour le prévenir qu'on l'autorise à sortir, qu'il peut venir la chercher. Quelques heures plus tard, débarquent sa mère, son compagnon et le frère de celui-ci, avec pizzas et éclairs au chocolat, c'était son dernier caprice.

Ils l'aident à s'habiller et à marcher jusqu'à la voiture, quelque chose gêne sa démarche, ce ventre en boule, sa chair en désordre, des petits sacs, des poches rouges.

Sa douleur va commencer à la déranger. À l'hôpital, elle était légitime. Dehors, elle ne se voit pas, incongrue parmi les terrasses ombragées, les minijupes et les voitures vitres ouvertes. Elle porte toujours son pantalon de femme enceinte, il flotte en berne.

Marie prend un café avant de rentrer, mais ne tient pas en place. S'asseoir sur une chaise, sentir sa couche de nourrisson ou d'impotente qui éponge le sang la rend nerveuse. Alors ils rentrent, les marches sont interminables, elle les avale les unes après les autres, et s'étale sur le matelas qu'ils ont descendu de la mezzanine pour ne plus en bouger, une semaine entière. Ses chiens lui sautent dessus, heureux et inquiets, ils n'ont pas compris pourquoi elle les avait laissés. Elle allume la télé et enchaîne les DVD. Son compagnon se démène pour oublier sa peine, se concentrant sur elle. Elle aurait aimé pouvoir l'épargner. Mais n'y parvient pas. Une boule lui remonte constamment à la gorge, s'arrête au seuil. Ça n'éclate pas.

Si soulagée qu'il soit à ses côtés, elle n'arrive pas à le lui dire.

De sa fenêtre, elle entend encore un bébé pleurer. Ce n'est pas un fantasme, il y a vraiment un bébé qui pleure. Cet immeuble n'offre aucune intimité sonore, on entend tout ce qui se passe chez les voisins.

C'est la nuit du 14 juillet, Paris danse, elle est allongée. De sa pièce, elle écoute exploser les fusées des apprentis artificiers et le vague écho des bals des pompiers. Le matin elle regarde le grand feu d'artifice à la télévision.

Le régime des intermittents du spectacle est fini, beaucoup de ses amis vont se retrouver à la rue, il fait trente-deux degrés, on a l'impression qu'il en fait cinquante.

Sous les toits, il n'y a pas assez de fenêtres pour fabriquer des courants d'air. La télévision est allumée presque toute la journée, que seules rythment les prises de médicaments. Marie s'accommode de sa souffrance, elle lui tient compagnie. Marie n'a pas envie d'aller bien.

Sa mère lui dit, pour l'encourager, tu es courageuse. Mais, en réalité, le courage n'est pas un choix, elle l'accepte, à défaut d'autre chose, c'est tout. Supporter est un réflexe. Sa force d'âme n'est pas en cause.

Sa douleur est sourde, latente, elle la prend au réveil, non pas comme un coup de fouet, mais comme une lumière diffuse qui éclaire sa journée. La peine est tapie à l'ombre du quotidien, comme un excès de poids – pénible, inconfortable, mais pas insurmontable. La souffrance physique la distrait.

Et ce n'est pas fini.

Lorsqu'elle reçoit la note de l'hôpital, elle s'aperçoit que son nom, Marie Fayolle, ne correspond pas à son numéro de Sécurité sociale. Peut-être n'a-t-elle jamais vécu ce qui vient d'arriver, aucun papier ne peut en témoigner.

Dimanche 20 juillet. Paris

La chaleur est sale. Et la solitude vide. Je me creuse sous la chair qui enfle. Ma bague ne glisse pas, l'os est gonflé.

Je m'introduis dans les interstices, un repas partagé à l'heure du déjeuner. Le reste n'a pas de fin.

Les larmes sont disponibles ; je ne les laisse pas couler. Mais il suffit d'une remarque désagréable, d'un contretemps pour qu'elles sortent.

Que dire aux autres, les conseils qu'on a tant de plaisir à donner, les avis qu'on voudrait partager, la science de la vie, cette légère petite chose, fastoche, vraiment fastoche, que tout le monde possède, un peu. Pas moi.

Un jour de juillet 1992, tandis que je me promenais dans une rue de Mexico, avec mon compagnon, je fus saisie d'une angoisse insurmontable, que mon corps lui-même n'était pas capable de dissimuler. Je longeais les murs, m'arrêtant tous les mètres pour reprendre mon souffle, me tordais les doigts, ne parvenais plus à parler. Ali essayait de comprendre, je

190

ne pouvais rien lui répondre. C'était une pointe, un vide acéré et brûlant, et puis un creux au ventre. Le soir, j'appelai ma mère pour lui dire que tout allait bien, mais c'est elle qui m'apprit que *l'opération s'était bien passée*. Je n'étais au courant de rien. Quelle opération, pourquoi, et pourquoi ne m'avaient-ils rien dit ? Pour ne pas m'inquiéter, apparemment, mais c'était inutile. J'avais senti la peur de mon père, éprouvé l'angoisse de le perdre. Nous étions en empathie.

J'étais soulagée que cette transmission pût exister. Le silence, quand on y est accoutumé, n'empêche pas de savoir les choses tues. Il y a un autre mode de communication, je l'avais expérimenté, alors pourquoi ne fonctionnerait-il pas au-delà de la vie ?

La cigarette finie, la tristesse revient. On a besoin d'en allumer une autre. Mais, sur le paquet, il y a écrit « fumer tue », et malgré tout, on n'a pas envie de mourir. Mais on n'a pas envie non plus de céder, à ceux qui nous annoncent la mort par vice, à ceux qui veulent nous faire peur, seulement peur, pas nous sauver. Nos poumons ne les intéressent pas tant que ça. Alors une autre cigarette.

Il n'y avait pas la place.

Marie se promène le long des berges pour voir Paris plage, avec sa mère, sa cousine et sa tante. Vraiment ça fait trop de femmes.

Des enfants courent partout, font de l'escalade, du trampoline, des jeux de sable, du roller blade. Sourire figé de Marie.

Le temps se couvre, est de plus en plus lourd. Il va sans doute pleuvoir. Parfois des gens lui téléphonent ou l'arrêtent pour la féliciter. Ah oui, *Paris-Match* ! ils ne savent pas. Bien sûr. Marie voudrait prévenir leur gêne, désolée de les rendre un peu cons.

Ils vont lui en vouloir de les avoir fait mentir. Il est vrai que ce n'est pas correct, perdre un enfant, comme ça, quand tout le monde se réjouit, et qu'on en a déjà parlé dans les dîners en ville. Remarquez, ça fera un autre sujet de discussion.

Ils ne sont pas floués longtemps, avec elle, c'est toujours un régal, une nouvelle, puis une autre qui vient la contredire. Sacrée Marie. Félicitations, oups, enfin, désolé.

Le faire-part national de *Paris-Match* m'oblige à me justifier chaque jour alors que je n'aspire qu'à me taire – qui me rappelle en permanence que je t'ai perdu, toi, il, je ne sais plus, on ne parle pas à un être qui n'a que *failli* exister, qui aurait dû, qui a presque, qui a choisi de ne pas, l'enfant alors, celui dont on me félicite si chaleureusement. J'enrichis les patrons de presse. Ma vie leur sert à ça, mes baisers, mon gros ventre, mes morts.

Jamais mon papa ne m'a dit : Ça va être dur, il faut que tu te prépares, je vais te raconter ce qu'il va t'arriver – il n'aurait pas pu l'imaginer.

On n'a pas envie de savoir qu'il peut arriver des choses graves à son enfant. Surtout quand on va mourir. On voudrait faire confiance à la vie, aux autres, on triche un peu, et on ferme les yeux parce que la souffrance ronge tout, peut-être même le souci de ceux qui vivront.

Dois-je en vouloir à celui qui m'a donné la vie et que j'aime ? Dois-je lui demander des comptes de cette entrée dans l'âge adulte en même temps que dans la notoriété, tandis qu'on m'avait toujours élevée dans la haine de l'ostentation, la discrétion, la quête de valeurs authentiques, le rejet de l'argent et de tous les vices qu'il induit ? Dois-je admettre des contradictions chez l'être qui m'a appris la liberté et l'acceptation de l'autre, qui m'a interdit de juger avant de savoir, de condamner au lieu de pardonner ? Dois-je mettre en doute mon éducation puisqu'on le dit si différent de celui que j'ai connu ? Dois-je lui en vouloir d'avoir été cachée – cachée parce que honteuse ? ou parce que trop précieuse ? puis d'avoir été montrée, cette exhibition qui me fit si mal à cette époque de la vie où l'on ne s'assume pas, où l'on ne s'aime pas, où l'on ne se connaît pas ?

Je n'ai jamais pensé pouvoir lui reprocher quoi que ce soit. Aimer, paraît-il, c'est aussi accepter les faiblesses de l'autre. Je ne me suis jamais octroyé le droit de reconnaître des faiblesses à mon père.

Sa seule faute en vérité est de n'être plus là.

Mardi 22 juillet. Paris

Nous dînons chez mon oncle François. Il nous montre le film qu'il avait tourné au Caméscope, du temps de Souzy, un film amateur, où le paysage défile au rythme des pas, saccadé. Des allées et des champs, l'étang, la maison, surexposée, puis maman, heureuse, papa, concentré sur un travail, moi à seize ans, maigre et blanche, presque translucide.

Pour la circonstance, papa et moi interprétons un morceau de Dallas. Il est J.R. avec son chapeau de cow-boy, je suis Sue Ellen : « Vous m'avez trompée, J.R. » – Mais je ne fais que cela, Sue Ellen. » Les chiens ne s'intéressent pas à notre jeu, ils se dévorent le museau au fond de la pièce. Sur la terrasse, dans un autre rôle de composition, je chante une chanson de Jane Birkin *Babe alone in Babylone*. Enfin maman souffle ses bougies, froide et tragédienne, il faut bien montrer qu'elle déteste fêter son anniversaire. Mais ne jamais oublier de le lui fêter. Papa essaie de mettre de l'ambiance, applaudit quand elle éteint toutes les flammes, je fais la gueule à côté. Scènes de famille ordinaires.

Je me souviens, à Souzy, de sa capacité de concentration. Les enfants couraient, les chiens

aboyaient, les adultes discutaient dans la bibliothèque, et il écrivait à son bureau, dans la même
pièce, enfermé dans son écriture, sourd aux bruis-
sements extérieurs. Je pouvais l'interrompre, il se
remettait aussitôt au travail, sans transition. Je crois
même qu'il préférait travailler ainsi, entouré mais
absent, plutôt que retranché dans une pièce vide des
échos de la vie qui étaient comme une musique de
fond nécessaire à sa créativité. La guerre a dû jouer
un rôle important : s'isoler dans un camp de prisonniers où l'on vit les uns sur les autres, réfléchir dans
un train bondé, se retrouver soi-même lorsqu'on
change d'abri tous les jours, rester uni, toujours, uni
avec les autres, uni en soi-même.

S'il décidait qu'il voulait lire, écrire, rien ne
pouvait le perturber. Il savait rester hermétique à
l'afflux du monde, et déverrouiller les portes lorsque
celui-ci le sollicitait trop. Rien ni personne ne pouvait
entraver cette aptitude au recueillement.

Souzy, Le-Play, nos habitations éphémères qui
demeurent des mots. Au moins auront-ils été
épargnés, ceux-là, parmi l'hécatombe des phrases,
ces mots rendus au patrimoine anonyme, imprimés
sur des cartes de France ou des plans de Paris.

Rue Frédéric-Le-Play, je passe encore devant
lorsque je vais chez ma tante en voiture.

Troisième étage. Les rideaux sont tirés. La
chambre de papa. Où il a été malade. Où il est mort.
La salle à manger, où nous avons déjeuné en famille,
le dernier jour. Je n'y retournerai plus. Qui y vit
aujourd'hui ?

Maman y rentrait le soir à bicyclette. La journée,
papa travaillait dans son lit ou au bureau. Les deux
secrétaires, les gardes du corps dans la cuisine où

nous prenons un café lorsque j'arrive. Des hommes politiques rendent visite. De vieux amis. Ceux que papa désire voir. Ceux qui ont travaillé à ses côtés, de droite ou de gauche. Il fait ses adieux. Giscard, Barre, quelques autres. Je passe, furtive, comme toujours. M'installe dans une pièce pour travailler sur mon mémoire de maîtrise. Quand personne ne vient, je lis à côté de mon père, sur son lit. Il écrit, lit lui aussi. Je travaille sur l'unité dans la *Critique de la raison pure*. Il est content de ne rien y comprendre. Vers six heures, je pars. Maman va bientôt rentrer. Je rejoins ma vie. Ali et mes amis m'attendent. J'embrasse papa sur le nez, reprends le métro. Un jour, je travaille dans le salon. Papa me fait appeler. J'entre dans la chambre. À ses côtés, Danielle. « Je te présente Danielle. » « Danielle, voilà Mazarine. » C'est tout. Je suis un peu gênée, ne sais trop quoi dire. Bonjour suffit, un sourire. Il avait peut-être besoin de cette rencontre, à ce moment. Elle m'embrasse, bonjour Mazarine. Je n'ai pas envie de m'éterniser. Pas de pacte. Maman sera là ce soir. C'est elle que j'aime. Papa aussi. Si je suis mal à l'aise, c'est pour elle. Pas d'explication. Mazarine. Elle me connaît, apparemment. Moi aussi, c'est normal. Je l'ai souvent vue à la télévision. L'art de mon père de ne jamais rendre de comptes. Je n'en parle pas avec papa. Le taquine peut-être un peu. J'aime bien Frédéric-Le-Play. Il y fait toujours très chaud, la salle de bains est confortable même si elle sent le médicament. J'ai une chambre pour moi. Ne me rappelle pas où elle se situe, comment y aller. Les chemins de la mémoire sont brouillés.

Le-Play, leur dernière demeure, où je n'ai pas vécu, où maman a campé à peine huit mois. Où ils ont habité ensemble, sans moi, comme un vrai couple. Ce n'était pas chez eux. Maman. Il ne lui reste rien. Que la mémoire, qu'elle a plus large et plus fidèle que quiconque. Une mémoire amoureuse, délestée des biens matériels. Et puis moi. Il lui reste moi.

Maman s'efforce de continuer à vivre, papa est mort, et moi, j'enfante un bébé trop petit qui ne sait pas crier.

Et pourtant je le sais, nous retrouverons le bonheur.

Lundi 28 juillet 2003. Gordes

Nous sommes difficilement arrivés à Gordes. Le Tour de France passe maintenant par la gare de Lyon, les vacanciers qui n'ont pas écouté la radio se sont improvisés supporters, pas contents.

Mon programme est chargé, trois cents et quelques livres à lire, deux scénarios à écrire, trois kilos à perdre, du bronzage à rattraper. Un bébé à oublier, un nouveau à faire.

Il y a de ces fatigues, où l'idée même de se lever est épuisante.

Mercredi 30 juillet

Aujourd'hui que j'y ai fait de menus travaux, j'arrive à me sentir chez moi dans cette maison que longtemps je n'ai su habiter. Avant, c'était chez mes parents. Leur havre. Leur refuge. Maintenant, la maison est remplie chaque été, pour conjurer les silences des septembres d'antan, où mon père allongé lisait à côté de ma mère, pendant que je m'inventais des histoires avec des fourmis.

Je lis à côté du chapeau de paille de papa, posé là, sur la table basse, moulant encore la forme de sa tête.

Ma solitude est terrifiante.

Samedi 2 août

Il est minuit, nous nous baignons. Il doit faire trente degrés. C'est *ma* piscine, que j'ai fait construire, comme une grande, avec de l'argent que j'ai gagné, pour avoir une vraie responsabilité, faire changer l'eau, vérifier les fuites, téléphoner, parfois, au piscinier, dire bonjour, c'est mademoiselle Pingeot, pourriez-vous passer samedi prochain, avec une voix enjouée et professionnelle. D'autres fois, c'est vrai, je n'y arrive pas, parce que j'ai perdu le numéro, ou que ça me fait peur, de ne pas tomber au bon moment par exemple. Mes amis peuvent venir se baigner, et, plus tard, mes enfants auront des parents qui possèdent une maison avec piscine, ceux que je méprisais quand j'étais petite. Je leur dirai que c'est du luxe, qu'ils ne doivent pas considérer que cela va de soi, que la piscine n'a pas toujours existé, et qu'ils doivent apprendre à lire avant d'aller plonger.

J'avais déjà songé travaux, barrière, clôture, pour empêcher les noyades de bébé. Quelle économie.

Lundi 4 août

J'ai mal dormi, rêvé d'un serial killer, me suis réveillée avec un torticolis.

Le portrait de papa me fait face, à côté du mien, tous deux peints par un Tchèque, lorsque j'avais douze ans. Il avait la manie de la mémoire, de l'immortalité. M'aurait-il appelée ainsi s'il n'avait voulu pour moi – pour lui – un grand destin, une longue postérité ?

Il me disait qu'il m'aimait chaque année un peu plus lors de mes anniversaires. J'avais peur qu'en grandissant je l'intéresse moins, quittant une intimité modelée à deux pour suivre des modèles extérieurs. Elles sont rares les relations qui s'intensifient avec le temps. Mais notre relation était rare. Plus je devenais moi-même, plus il me reconnaissait. Que dirait-il, me voyant si distante de moi, à la recherche de quelqu'un qui aimerait vivre ? Je me sens déloyale et à la fois perdue de ne pas savoir lui rendre justice.

Je voudrais voir ta tête, papa, parlant de moi, et éprouver cette fierté, devant ta pudeur débordée, ton sourire muet. Je voudrais être l'aimée, devant les autres, et rougir de plaisir avec un peu de honte. Je voudrais être fière, moi, l'enfant cachée, mais l'enfant adorée. Brandir ton amour comme une arme, comme une gloire, me montrer un peu méchante, un peu enfant gâtée, un peu sadique, un peu suffisante, avec tout cet amour d'un homme convoité. Et ne plus avoir peur que cet amour me distingue, m'exclue. Que tu sois là, à mes côtés, à mépriser pour moi ceux qui me font mal pour toi. Que tu les tues parfois. Qu'ils deviennent mouches, larves qu'ils étaient face à toi, petits marquis face à moi. Que tu tapes du poing sur une table, ceci est ma fille, celui qui la blesse aura affaire à moi. Qu'ils aient peur, qu'ils pissent leur lâcheté dans leurs pantalons sur mesure. Et moi, innocente créature, je leur tendrais la main et leur accorderais le pardon. Et mes révoltes pourraient s'éteindre dans la fureur de ton regard. Mais aucune fureur ne vient consoler ma peine. Personne ne s'inquiète, personne ne se met en colère, je ne vaux une colère pour personne. Et je suis incapable de colère. Sans quoi je ne serais que colère.

Lundi 11 août

Quarante degrés à l'ombre partout en France, cela fait la une des médias. Les morts commencent. Une épidémie de solitude.

J'ai le bourdon et le cafard, j'ai attrapé toutes ces bestioles. Je suis une eau stagnante, fatalement, ça attire les insectes.

Aujourd'hui, je suis tombée sur une carte postale, signée F. Trois petits mots : Je pense à toi. Adressée à ma mère.

Que vivaient-ils quand je n'existais pas ? Leurs plus belles années, avec le risque de se perdre, que ma présence, d'une certaine manière, a affaibli. Mais comment croire qu'ils ont été autre chose que mes parents ?

Que mon père fut un homme amoureux, un homme traversé de doutes, un homme blessé, autant d'aspects jusque-là impossibles à accepter m'ouvrent la voie de mes propres amours, de mes propres blessures. Je ne peux être seulement sa fille, il ne peut être seulement mon père. Je deviendrai une personne lorsqu'il en deviendra une.

Jeudi 14 août

Cinq heures du matin, je n'arrive pas à dormir. C'est la cinquième nuit. Un papillon vole devant l'écran. Je suis bien avec ce papillon. Tous les deux nous veillons. Je le fais danser sur le rythme des touches, son bourdonnement s'accorde avec celui de l'ordinateur. Ils chantent la nuit et mon enfant perdu.

Je me souviens avoir demandé à papa pendant des mois si cela était possible de continuer d'être ensemble. Après, je pleurais une heure dans mon lit solitaire. La nuit avait le temps de sécher l'oreiller. Je ne savais pourtant rien sur son état de santé, mais la mort rôdait. Dans ses paroles, dans ses préoccupations. J'étais petite, mon père se savait malade. Ma mère gardait le secret.

Sa main dans la mienne, et mon baiser sur la pointe de son nez avant de m'endormir. Il était pointu à souhait. Sa voix qui me répond « peut-être », « on ne sait pas », « sans doute existe-t-il une communion entre morts et vivants quand on s'est beaucoup aimés ». Mais il ne me donne pas les preuves que j'exige.

Samedi 16 août

Mes amis sont arrivés, nous sortons beaucoup, toutes les maisons sont ouvertes, nous allons y chercher des soirs pour y laisser des fatigues.

Hier, Sainte-Marie. Nous avons joué à qui nous pouvions ressembler. Le jeu des sosies, inventé au musée de l'Homme, en face des monstres en bocaux. Pour Dom, Arnaud et Mohamed, nous avons mis peu de temps à trouver les acteurs et chanteurs dont ils ont un air. Quant à moi, personne ne trouvait. Pour les aider, j'ai froncé les sourcils et pincé la lèvre supérieure. Ça les a fait rire que je puisse ressembler à ce point à mon père...

Être pareille que papa. Jouer à être heureuse, pour me rapprocher de lui, pour lui ressembler.

J'ai troqué ma propre maturation pour répondre à ses principes que je jugeais admirables. Il m'a légué une solitude et le refus de s'appuyer sur qui que ce soit pour devenir soi-même. Il m'a donné beaucoup : j'ai tout à faire, tout à recommencer, m'autoriser. On manque toujours d'un vieil instituteur qui dit les règles. Papa m'en a laissé quelques-unes – les principales.

Qu'avait-il atteint que j'ignore ? Qu'avait-il conquis

qui lui donnait la force non pas de combattre mais de désirer, et plus encore de connaître le fond et le but de son désir ? Ses années aux côtés d'une grand-mère aimante et de frères et sœurs remuants, dans des maisons qui sentent le temps sans se refermer sur l'avenir, qui accueillent de conserve l'enfance et la vieillesse, qui cimentent les familles par des souvenirs communs, d'attente, de larmes et de repas partagés ? Ces champs d'herbe humide, cette rivière qu'il descendait en barque, ces bavardages des adultes sur la littérature ou le mariage d'une cousine ? Cette échappée d'éternité qu'on ne retrouve plus mais qui reste imprégnée comme un gage de foi ?

J'ai fait l'impasse du parcours, croyant pouvoir accéder directement à la sagesse. Ma jeunesse a passé vite, impatiente de s'achever parce que inapte à la légèreté. Aujourd'hui je veux être jeune. J'ai des années à rattraper, les époques d'insouciance où les minutes ne se comptent pas. Maintenant je le sais. À trop vouloir aller vite j'ai oublié de vivre.

Jeudi 28 août 2003. Asilah, Maroc

L'air humide gangrène mes os. Mais c'est un peu leur faute d'être devenus poreux. Nous sommes arrivés avant-hier, des bagages même pas faits, à peine défaits, dans la chambre bleue. Il y a bien les affaires d'hiver dans la penderie. Mais tout le monde est en paréo, alors moi, en pull ? Mes résolutions. Faire comme si tout était normal.

Pour accomplir un deuil, il faut aller dans tous les lieux où l'on a projeté des images. Asilah est la dernière étape. Je m'étais imaginée, il y a quelques mois, arrivant, le ventre gros, dans la famille de Mohamed. Des bras tendus servant gâteaux au miel, tajines, couscous, thé à la menthe. Peut-être même des youyous. Des embrassades et de la magie noire, pour que tout se passe bien, sa mère au marabout offrant ses derniers dirhams pour une apothéose. Le premier petit-fils qui porterait le nom. Et les conseils mal traduits, des mots si rapides qu'on dirait des insultes. Une nouvelle gandoura pour cacher les formes, faite sur mesure. Nous aurions mangé du poisson grillé ou frit dans les deux restaurants du port. J'aurais eu moins de mal à me passer de vin. Nous nous serions promenés sur la plage, j'aurais dormi tôt. L'air de la mer m'aurait fait du bien.

Alors, au lieu d'arriver en août, nous sommes là en septembre. Ces images-là n'appartenaient pas à septembre. Septembre est vide, encore, de projections. Les jours déclinent plus vite, et c'est bon, un peu plus de nuit. Je me retrouve comme un sac usagé, le corps un peu fatigué, le ventre plat, musclé même, à balader ma personne comme une chose encombrante, sur une plage abîmée par deux mois de vacanciers. Et ça me fait plaisir, ces détritus. Je sais qu'en dépassant le fleuve, les plages sauvages seront un peu trop belles. Je sais que le soir, au coucher du soleil, sur la terrasse illuminée par un dernier rayon le vin sera meilleur, à l'appel des muezzins. Je sais que je ne pourrai pas échapper à cette beauté, partout, dans l'architecture, les couleurs, les ciels, à cette bonté partout, dans les plats, le lait, les dattes. Et il n'y a rien de pire que d'être enfermée dans la perfection. Et je rêve d'immeubles gris qui obstruent les nuages, de pollution et de pluie. Je rêve de n'avoir pas à me rendre compte que le monde est si beau, puisque je ne suis pas à sa mesure. Je rêve d'abolir les rires d'enfants et les discussions des parents sous le bougainvillier, le bonheur éclatant, la simplicité de ces vies qui m'entourent. Je n'ai même pas envie de leur imaginer des drames cachés ou futurs, pour atténuer le mien. Je ne suis pas jalouse, je suis sortie du cercle magique.

Et si quelqu'un me dit, regarde la couleur verte de la mer derrière les rochers gris, j'ai honte bien sûr, de ma monstrueuse insensibilité. Et je vais lire dans ma chambre, pour choisir mes paysages.

Bientôt nous rentrerons à Paris, voir le chantier qui a sans doute avancé. Il y aura encore, j'espère, de la poussière et des murs cabossés, des ouvriers qui mettent la radio très fort à sept heures du matin, et mangent du saucisson à dix heures. Et mon appartement sera comme moi, en voie de construction.

Je n'aurai pas à y crucifier mes images, nous avons choisi des murs blancs.

La vraie vie commencera peut-être alors.

Achevé d'imprimer sur les presses de

BUSSIÈRE

GROUPE CPI

à Saint-Amand-Montrond (Cher)
en mars 2006

POCKET - 12, avenue d'Italie - 75627 Paris Cedex 13
Tél. : 01-44-16-05-00

— N° d'imp. 60510. —
Dépôt légal : avril 2006.

Imprimé en France